Y0-AFT-356

Елена Холмогорова

Елена Холмогорова

Чтение с листа

роман-партитура

Издательство АСТ
Москва

УДК 821.161.1-31
ББК 84(2Рос=Рус)6-44
Х72

Дизайнер *Анастасия Чаругина*

В оформлении переплета использована картина
Натальи Нестеровой «Лилии»

Холмогорова, Елена Сергеевна.

Х72 Чтение с листа : роман-партитура / Елена Холмогорова. – Москва : Издательство АСТ : Редакция Елены Шубиной, 2017. – 221, [3] с. – (Проза: женский род).

ISBN 978-5-17-982593-7

«Чтение с листа» – новый роман прозаика Елены Холмогоровой.

Репетиция любви, репетиция смерти, репетиция надежды, репетиция богатства, репетиция счастья... Жизнь героини выстраивается из длинной цепочки эпизодов. Как в оркестровой партитуре, в них одновременно звучат несколько голосов, которые только вместе могут создать мелодию. Они перекликаются и расходятся, что-то сбывается, а что-то так и остается в немоте, лишь на нотной бумаге...

УДК 821.161.1-31
ББК 84(2Рос=Рус)6-44

ISBN 978-5-17-982593-7

ОГЛАВЛЕНИЕ

ЧТЕНИЕ С ЛИСТА

роман-партитура

Партитура — итал. partitura — букв. разделение, распределение — нотная запись многоголосного произведения, в которой сведены партии каждого отдельного голоса (инструмента). Нотные знаки располагаются в партитуре подстрочно один над другим, для того чтобы глазом можно было легко охватить направление движения всех голосов в их одновременном звучании.

Краткий музыкальный словарь

Как чудно жить. Как плохо мы живем.

Георгий Адамович

Увертюра
Репетиция пустоты
2012

Ее уволили с первого сентября. Спасибо, дали прожить спокойно лето, съездить в Турцию, не думая о том, что в железной коробке из-под Павликова новогоднего подарка, куда складывала сэкономленные деньги, ничего не осталось.

Шеф, пряча глаза и смущаясь, будто он должен сообщить ей о результате анализа, подтвердившего смертельную болезнь, промямлил, что, мол, новое время диктует новые задачи, что для успеха дела необходимо безукоризненное владение многими компьютерными программами и знание чего-то, что он сам произносил нетвердо, да и вам, дорогая Елизавета Николаевна, сколько можно от звонка до звонка... Она не сразу поняла, о чем речь, и потом, вспоминая сцену в старомодном, обшитом деревянными панелями кабинете, где не было места компьютерным технологиям, рыночным механизмам и длинноногой молоденькой секретарше, изумлялась своему поведению. Всегда славилась быстротой реакции, а тут – как в ступор впала. И стыдно было за идиотский вопрос: «А как же *она* (вмиг возненавиденная преемница, неведомая победившая соперница) во всем разберется?». И ответ – сухо и устало: «Так вы же, Елизавета Николаевна, дела ей передадите».

Это был один из самых тяжелых дней в его жизни. Намек прозвучал слишком прозрачно. Ударили по самому больному, напомнили про возраст. Мол, мы высоко ценим ваш колоссальный опыт и по существу дела, и по руководству коллективом, поражаемся вашей феноменальной креативности. Так провожают, точнее выпроваживают, на пенсию. И когда главный акционер завел эту песню, вспотела шея, туговат стал ворот рубашки. Он только безвольно кивал головой, как китайский болванчик, наполовину отключил слух, сосредоточившись лишь на том, чтобы не дрогнул ни один мускул на лице. Но поворот сюжета в монологе не пропустил. Мы очень рады омоложению компании, свежая кровь несомненно придаст ее деятельности новые импульсы. Но вот еще один вопрос. Никаких, мол, претензий, но, сами понимаете, секре-

тарь генерального директора – лицо фирмы, да и технологии в делопроизводстве теперь новые, что там технологии, даже слова – тайминг, ситуативный имидж, мониторинг информации, психология невербального общения... И кандидатура подходящая у нас есть на примете. Молодая, но уже себя зарекомендовала. Человек надежный... Он опять покивал, и партнеры, поняв, что сигнал достиг цели, что все будет как надо, удалились. Все-таки старая закалка – великое дело. Им было ясно, что главное шеф услышал: и легкую угрозу про возраст, и что на этом месте должен быть надежный для них *человек.*

Вета была чутка к слову, и, когда, выслушав еще раз благодарственный лепет, вышла, привычно закрыв за собой дверь в приемную, почему-то подумала: «Как точно говорят — на ватных ногах», обессиленно села в вертящееся кресло, мечтая, чтобы телефон не звонил хотя бы пять минут. И странно, опять о словах: «Как привычно странное название — предбанник. Надо будет все-все убрать»...

Дни шли как в тумане. Барахло из ящиков стола уносила частями, а половину оставила в мусорном баке напротив — как же человек обрастает вещами! Хотя что же удивляться — просидела двадцать семь лет.

Сослуживцы, конечно, качали головами, жалели, шептались, что под шефом кресло качается, вот он и совершает судорожные телодвижения: разогнал аналитиков, набрал юнцов зеленых, ее вот — секретаря идеального — увольняет, одним словом, меняет хорошее на новое.

Преемница оказалась вовсе не девчонкой, а лет тридцати пяти полнеющей крашеной блондинкой, спокойной, доброжелательной и толковой, внимательно записывала инструкции, вела себя скромно и сочувственно.

Именно это и добило. Вета была полна жаждой мщения, заранее исходила желчью, но противопоставить выдержанности и квалифицированности ей было нечего. Действительно, новенькая собиралась перенести многое с бумаги на компьютер, даже пыталась объяснить Вете, как это будет работать, но та не слушала.

Шеф старательно избегал оставаться с ней. Проскакивал мимо предбанника, как скомканная бумажка, выпущенная из рогатки, хотя она теперь сидела там вместе с новенькой. Та держалась корректно, но первый же предмет, принесенный ею, заставил его вздрогнуть. Пробковая доска, к которой острыми кнопками крепились мелкие бумажки, была устрашающе похожа на кошмар его детства. Старшая сестра ходила в кружок юных натуралистов и вместо того, чтобы оберегать природу, пришпиливала задушенных спиртом ба-

бочек и жуков и прятала под стеклом. Это называлось коллекцией и неизменно всех восхищало: «Как живые!». Мало того, место этому кладбищу было определено на стене над его кроватью. Он страдал, ему казалось, что ночью трупики оживут и станут кружиться у его подушки. Все хвалили сестру, а его корили за отсутствие увлечений (слово «хобби» тогда еще не было в ходу).

Самое забавное, что ей было жалко шефа. Ясно же, что именно он станет следующей жертвой. А главное — не могла не сочувствовать шефу, когда тот с ней, Ветой, разговаривал. Невольно ставила себя на его место и привычно, как делала целую четверть века, старалась помочь, избавить от лишних негативных эмоций. Даже тени неприязни не пробегало между ними.

Он долго думал, как обставить прощание. Ну, там, премия – надо будет не поскупиться, а вот на память... Он-то считал, что у них климат тепличный – ни скандалов, ни интриг, а вот, оказывается, сидит он, старый пень, в своей деревянной берлоге, а жизнь мимо, мимо... С внучкой поделился, а та – деловая... Она Елизавету Николаевну знает — три года назад, когда внучка на Кипре дом купила, та за ремонтом следила, сам тогда ее откомандировал. Внучка сразу: «Я бы ей работу нашла, ну, домоправительницей — гувернанткой она не потянет, хоть и с образованием, требования теперь, знаешь, какие! А так могу поспрашивать, рекомендации ей дадим». Он должен был бы порадоваться, что внучка близко к сердцу приняла, помочь обещала, но знал, что не сумеет даже заикнуться о такой возможности. Надо же, в няньки «не потянет»! И все примерял на себя новые времена, и все вздыхал...

Собрав остатки воли, Вета накрыла стол не хуже, чем обычно на свои дни рождения: фирменные пирожки с мясом и плюшки с корицей. Все так убеждали ее, что надо отдохнуть, а дело уж ей-то с ее энергией всегда найдется, что она поверила, будто устала и нуждается в передышке. Она всегда была легковерна, и даже странно, что не так часто на этом обжигалась. Да, тяжким было это мероприятие. Гражданская казнь. Всего лишили. «Того немногого лишили, что было у меня, – поправилась Вета, думая о том, что редко позволяла себе впускать в мысли, – того немногого... У кого из великих шпагу над головой ломали? Правильно, у Чернышевского, молодец, помнишь, отличница филфаковская! Вот и он вопрошал, прямо как ты: «Что делать?».

Кроме букета, уносила она конверт с премией и неожиданный подарок. Верстальщица Ирина, которая не только замуж вышла, даже фамилию на старости лет поменяла, заплакала, с ней прощаясь: «Если бы не вы, не было бы у меня счастья. Вот, Чапа моя просила передать», — и сунула коробочку. Приятно, когда люди помнят добро, — а всего-то пожила несколько дней с собачкой, пока Ирина в романтическое путешествие ездила. Дар спаниельки оказался даже не символическим — золотой кулончик с жемчужиной.

Вета не сразу сообщила сыну о переменах в своей жизни. Как человек практичный, она понимала, что он оттуда, из своей ледяной Сибири, ничем, кроме слов и денег, помочь не может. Реакцию она и так могла предвидеть: «Ну и хорошо, давно пора. Отдыхай, о деньгах не беспокойся, — поможем. И приедешь, наконец, в гости».

Ровно это он и сказал, когда она наконец решилась. Почему-то связь по скайпу все время рвалась, как никогда раньше, и это ее радовало: не надо было заботиться о плавности речи. «А все-таки он скотина, твой шеф», — не выдержал Павел, но она возразила: «Нет, это я дала себя уверить, что уникальна, а незаменимых и впрямь нет». Через час на мобильный пришло сообщение о поступивших на ее счет деньгах: а как еще сын мог ее утешить?

После фальшиво-пышных проводов Вета в последний раз шла «с работы», задевая прохожих огромным букетом.

Около дома в подземном переходе три бомжа, обнявшись, пели замогильными голосами мушкетерскую песню:

Пора-пора-порадуемся на своем веку
Красавице и кубку, счастливому клинку...

Это было так комично, что Вета не сдержалась и рассмеялась громко. Вслед ей неслось почти пророческое: «Судьбе не раз шепнем: “Мерси боку!”».

А сколько ей осталось воспоминаний...

Репетиция музыки
1963

Вот она идет по темноватой улице. Переехали сюда недавно, поэтому здесь все чужое и одинаковое, с домами нельзя поговорить. Нет знакомых собак. Падает снег, вокруг фонарей белая карусель. Вета несет черную картонную папку с нотами. Ручки длинны — папка то и дело задевает углом сугробы. Но она Вете нравится. Вся в тисненом орнаменте, а в центре надпись старинным шрифтом MUSIK. Это кто-то маме на работе отдал, узнав, что дочку в музыкалку приняли. А в ней «Школа игры на фортепиано». Смешно: целая школа уместилась в папке. Нести ее трудно, мешают толстые варежки на меху, пальцы в них плохо гнутся, и шелк витого шнура норовит выскользнуть. Но на урок надо приходить с теплыми руками.

Сколько она видела разных семей, и как часто дети не похожи на родителей! Вот и эта Елизавета Яснова – как от другой матери рожденная. Та – простоватая, больше всего озабоченная тем, чтобы быть «как все», одергивающая дочь за любое нестандартное слово. Так и вскинулась на экзамене, когда девочка сказала, что ей больше нравится музыка веселая, чем грустная. Она из тех, кто считает, что настоящее *искусство должно быть печальным, из тех, кто в церкви натягивает на себя постную мину. Конечно, пришлось девочку поддержать и попросить спеть самую веселую песенку, какую она знает. Мама заторопилась подсказать: «Да, вы столько хороших песен пели на праздниках в детском саду и в школе». Но дочку понесло. На мгновение эту мамашу даже жалко стало.*

Повезло ей с учительницей. Татьяна Николаевна никогда не ругает, вот в прошлый раз она левую руку не выучила, так та говорит, мол, ничего, к следующему уроку подтянешь, главное – призналась сразу, что как следует дома не занималась. Вете нравилось, что она много рассказывает – и так интересно, как будто все эти великие были ей друзьями школьными. Оказывается, Вивальди не всегда был гением, его аж на двести лет вообще забыли, а «Времена года» Чайковского не просто детские песенки, Рихтер на бис любил играть «Баркаролу», а уж про Баха, самого Баха, сказала, что его мелодии могли напевать вот такие же девочки, как она, когда, например, узоры вышивали.

Никогда не забудет она эту «самую веселую песенку». Тихая девочка вдруг прямо преобразилась, так кокетливо плечиком дернула, ножку в сморщенном чулочке отставила — и давай:

Одесситка – вот она какая,
Одесситка – пылкая, живая!
Одесситка пляшет и поет,
Поцелуи...

Мать от шока оправилась, кинулась к ней:
— Что это такое? Что это? Прекрати!
А девочка по инерции, но уже тише и медленнее:

...поцелуи раздает
Тем, кто весело живет!

Пришлось ее остудить:
— Ну зачем вы прервали, она очень артистично исполняла.
А мамаша себя выдала с головой:
— Знали бы вы, что там дальше!

Когда шли домой, мама причитала:

– Столько песен хороших: «Мы – ребята-октябрята», «А ну-ка, песню нам пропой, веселый ветер!», например, а ты...

Ох, Вете влетело! И папе заодно. За то, что часто куплеты эти дома пел. Но он только смеялся. И маме говорил:

– А она, знаешь, что меня спросила? Это, говорит очень страшно – добродетель потерять, она дорогая?

Вете подмигнул и замурлыкал:

Добродетель все равно
Потеряла уж давно...

Слух-то средненький, но они не при консерватории, а при районном Доме пионеров – музыкальный класс, даже не настоящая школа музыкальная, а, считай, кружок по интересам.

Вета любила воображать себя знатной дамой в длинном пышном платье, с высокой прической и веером в руке, как Золушка на балу. Мама никогда не спрашивала, что ей снилось, о чем она мечтает, даже что ей нравится, кроме еды, конечно. А вот Татьяна Николаевна прямо-таки выпытывала, каждый урок начинала с вопросов. То какую погоду Вета любит, то про собак, а сегодня вот про книжки.

– Вот ты читаешь хорошо, бегло, толстые книжки. Какая у тебя любимая?

– «Робинзон Крузо».

Да, не очень подходящий пример.

– А еще?

– Ну, сказки, про принцесс, про то, как раньше жили красиво...

– Так вот, подрастешь, будешь читать классику русскую, так увидишь: дамы и молодые люди то и дело запросто подходят к роялю и играют какую-нибудь пьесу, или один аккомпанирует, а другой – поет. В дворянских семьях играть на фортепиано учили так же непременно, как вести себя за обедом, читать или танцевать вальс. Называлось это замечательным словом, теперь практически забытым, – музицировать. И учили прежде всего — читать с листа, то есть играть по нотам без подготовки незнакомое произведение. Вот ты же можешь взять любую книгу и начать читать вслух, так же и играть с листа. Даже само название «чтение с листа», знаешь, как переводится? По-итальянски "a prima vista", то есть "с первого взгляда", а по-французски "a livre ouvert", то есть "по раскрытой книге". Вот если их объединить, получается именно такой смысл, как нам нужен.

И теперь каждый раз Татьяна Николаевна открывала новые ноты. Вета полюбила эту игру: начинать, не зная, что будет дальше. Получалось у нее не очень складно, зато это было куда интересней, чем без конца повторять и повторять одни и те же пассажи или долдонить гаммы. Ей казалось, что она сама сочиняет музыку, мелодии возникали у нее под руками, и, когда Татьяна Николаевна прерывала ее, она останавливалась с досадой: «Нет, так не пойдет. Если ты по складам читаешь, до смысла ли тебе? Надо уметь взять ноты и прочитать, как книгу «про себя», должен включиться «внутренний слух». Потом она сама проигрывала разобранный фрагмент и говорила: «Хватит на сегодня, покажи, что выучила дома», Вета неизменно просила: «Ну пожалуйста, еще немножко».

Хорошая девочка, трудно ей будет. И как объяснить, что вся жизнь похожа на это самое «чтение с листа». Ноты написаны не нами, различаем мы их тайнопись с трудом, знаков судьбы не замечаем, а играть, то есть жить, приходится без репетиций. Хотя сколько и репетиций бывает, а мы все мимо пробегаем...

На уроке сегодня на инструменте не занимались, а читали Пушкина «Моцарт и Сальери». Татьяна Николаевна почти каждую строчку объясняла. И так интересно: все наизусть помнит. Но оказывается, Сальери был гораздо более известным музыкантом, чем Моцарт, — неизвестно, кто кому должен был завидовать. Вета дома все это рассказала, а мама рассердилась: мол, пусть своим бы делом занималась – на пианино играла, а книжки в школе читать научат. Он была в плохом настроении, папе тоже досталось. Он только Вете подмигнул и давай вполголоса свое любимое:

Ах, мама, мама, что мы будем делать,
Когда настанут зимни холода?
У тебя нет теплого платочка,
У меня нет зимнего пальта...

Ну тут мама еще пуще разошлась, припомнила ему, как от стыда сгорала, когда Вета на экзамене его частушки-куплетики петь начала. А он ей: «Ну что ты кричишь! Это же советская классика, из фильма «Котовский». В войну киностудию в Алма-Ату эвакуировали и там доснимали. Так мы, мальчишки, днями пропадали, крутились вокруг площадки съемочной. Гоняли нас, конечно, но мы все равно то на дерево залезем, то за домом спрячемся. А какие артисты были, живые – Мордвинов, Крючков, Марецкая. И пели, знаешь, еще что? И отец приосанился, изображая певца на сцене:

Вы мной играете, я вижу,
Смешна для вас любовь моя,
Порою я вас ненавижу,
На вас молюсь порою я...

Хлопнув дверью, мама вышла из комнаты. Отец развел руками и пошел вслед – мириться.

А Татьяна Николаевна через два года заболела, ушла на пенсию. И кружок музыкальный закрылся...

Репетиция любви
1967

Никогда в жизни не видела она больше такого энтузиазма! Корчевали пни, вырубали кустарник, воду таскали из колодца ведрами и бидонами за километр. На общей стройке вчера еще незнакомые мигом становились друзьями. Все молодые, у всех дети. Дети-то и подружились первыми. Для старших была норма — два часа в день отдать работе, а потом вольница.

Центр дачной молодежной жизни образовался сам собой вокруг единственного стола для пинг-понга. Там вечером устраивались танцы. Родители девочки оказались с понятием: не только терпели музыку и шум, но и организовывали чай. Надо было принести свою чашку и что-нибудь сладкое. Воду таскали по очереди. На одном краю пинг-понгового стола стоял проигрыватель, к которому от столба протянули специальную проводку, горкой лежали пластинки, а другая половина была отдана под чайные дела. Компания подобралась по возрасту ровная – пятнадцать-шестнадцать лет.

Малышню, вроде двенадцатилетней Веты, конечно, близко не подпускали. Но ей повезло...

Однажды в положенный час, когда Вета заняла излюбленную позицию в углу сада, спрятавшись под елкой (это была их гордость, большинство участков было совершенно голыми), любимая мелодия, от которой начинала биться жилка на шее и стучать в висках, вдруг стала запинаться, что-то зашипело, раздались недовольные вскрики, а потом музыка смолкла.

Вета разочарованно вышла из своего укрытия. Родители пили чай, устроившись на сложенных штабелями досках, из которых скоро будет построенная не просто застекленная терраска – шестигранный фонарик.

– Игла у них заела, – сказал отец, с хрустом разгрызая кусок колотого сахара, – он всегда пил чай вприкуску. – Я, конечно, мог бы починить, но уж больно надоела каждый вечер эта канитель.

– Вот и почини, – мама отмахнулась от налетевших комаров. – Они молодые, не под гармошку же им плясать, да и гармонисты перевелись.

– Пойдем, возьми меня с собой, – взмолилась Вета. – Ты музыку сделай, а за это пусть разрешают мне посидеть...

Она прижилась. Маленькая, легкая, на ней отрабатывали танцевальные движения: крутили в рок-н-ролле, опрокидывали в танго...

Вете казалось, что она лучше всех этих взрослых девчонок: они глупо хихикали, мини-юбки открывали толстые, какие-то мясистые ноги, начес на голове противно трясся в танце, и прическа называлась гадко – «вшивый домик». Да и парни были невоспитанны и грубоваты. Почти все. Кроме Него, конечно. Высокий и тонкий, с изумительным низким голосом. Когда Вета слышала его, начинало ныть в затылке. Он все делал лучше остальных: танцевал, пел, играл в пинг-понг.

С тех пор как появилась машина, сначала выстраданные в долгих очередях «жигули», потом служебная «ауди» по будням и свой «ниссан» по выходным, в метро он спускался редко. Но неизменно с удовольствием. Жена смеялась: «Потому что это экскурсия два раза в год, а не обязанность два раза в день в час пик». Да, он, конечно, понимал, но не в том было дело. Он радовался, что ноги сами несут на нужную для пересадки лестницу, что «память тела» так здорово работает. А главная странность: в метро он неизменно чувствовал себя молодым, прибавлял шагу, прямо держал спину. «Еще моя походка мне не была смешна...» — даже мурлыкал, обгоняя тетечек с хозяйственными сумками на колесиках. Хотя какая странность: метро навсегда осталось юностью (бегом на последний поезд после вечеринки, свидание на скамейке у первого вагона...).

Он взял ее за руку и закружил, показывая где-то увиденное па, и этого было достаточно, чтобы сердце ухнуло и Вете стало ясно: ему нет здесь пары, только она.

Расходиться было велено в десять. Но обычно куда раньше мама кричала через забор резким, вдруг делавшимся неприятным голосом: «Елизавета, хватит уже, наплясалась, давай домой». Ей всегда было так стыдно, она успевала поверить в свое счастье, привыкнуть к тому, что может подойти к нему, что-то сказать, передать печенье...

Когда на березах стали появляться желтые клоки, она написала ему письмо. Лето кончалось, все разъезжались по домам.

На его шестидесятилетии, ближе к концу юбилейного застолья, уже изрядно нагрузившийся директор позволил себе в очередном тосте сострить: «Он знает себе цену, он не первый человек в фирме, но и не второй». Да, он знал, что дело в значительной мере держится на нем, что он многого добился, ему нравилось, что наравне с молодыми он легко произносит «стратегическое планирование» и «консалтинг». Ему было не стыдно появиться с ухоженной женой, сын был на достойной работе. Он полюбил приглашать гостей на дачу. Мастерски обращался с мангалом, не подпуская к нему женщин, и с гордостью под возгласы восторга вносил блюдо с истекающим соком ароматным шашлыком. Дом был скромный, но стильный, недавно отремонтированный, со множеством современных «фишек». Сильно он был непохож на ту родительскую дачу, где много лет не бывал и которую продал, как только те ушли из жизни. Располагалась она по непрестижному направлению, на восток от Москвы, зато близко, к тому же электричка рядом — неплохие дали деньги. Хотя был там свой шарм: велосипед, подкидной дурак, пинг-понг, танцы-шманцы. Боже мой, ведь он хорошо танцевал! И девочка еще была соседская, малявка, в него влюбленная, даже письмо однажды написала, прямо как Татьяна Ларина, трогательное, до сих пор помнил: «Я скоро вырасту, через год ты меня не узнаешь»... А он тогда в Питер уехал, дурачок-романтик, в мореходку. Через год в каникулы родителей навестил на даче. Хотелось казаться взрослым, зачем-то девушку знакомую с собой приволок — Москву посмотреть. Малявку ту видел только издалека, а потом в редкие приезды ни разу не встречал, так и не знает, стала ли она, как в письме обещала, красавицей...

На следующий год площадку раскопали под грядки, и собираться стало негде. Ездили на велосипедах на пруд, но Вету туда не пускали. Да она и не рвалась. Его не было. Уехал в Ленинград поступать в мореходку. Это казалось ей правильным, ему подходила только романтическая профессия. Вета завела тетрадку, в которой писала неотправленные письма, а потом прятала в щель в дровяном сарайчике.

Иногда на закате ей представлялось, как он через год приедет в морской форме, а тут она. Он скажет: «Какая ты стала красавица!». А дальше этого ей не думалось.

И он действительно приехал. Без формы, зато с девушкой.

А та мелодия, на которой заело пластинку, так и осталась самой любимой и всегда рвала душу. Она потом узнала, что это — знаменитый фокстрот «Маленький цветок».

С ним такое случилось впервые: задумался, проехал пересадку. Настроение испортилось. Почему не на машине? Лучше бы постоял в пробках, чем проталкиваться к дверям через разморенную жарой толпу. Две девицы, наушниками отгороженные от внешнего мира, парни, вон, правда, разговаривают: «Ну а родаки чего? Не нависают?». Им девочки не напишут таких писем... И вдруг защемило: а вдруг это было его счастье?.. Он вы-

брался из душного вагона и, еле передвигая ноги, пошел к эскалатору. Дальше возьмет такси.

А мама, оказывается, все видела. И когда Вета горько плакала в углу сада под той самой, единственной елкой, подошла и сказала: «Поплачь, отпустит. И знай: тяжелее, чем сейчас, тебе никогда не будет». — «Почему?» — спросила она, изумленная и маминым пониманием, и словами. — «Потому что в первый раз», — вздохнула та.

Вета много раз это вспоминала. Получалось, что мама, пожалуй, была права...

Репетиция смерти
1969

Как же она к этому готовилась! Впервые в жизни она поедет одна так далеко, впервые увидит море! Вете казалось, что все должно быть необыкновенно, и потому она целый месяц тренировала красивые движения кролем, училась гладить шорты и сарафаны, чтобы без единой складочки, и приставала ко всем с расспросами о деталях южной жизни, как будто ритуалы пионерского быта зависят от климата. Она уже не раз бывала в лагерях, но всегда под Москвой. А тут Кавказ, Анапа...

Уже дорога была приключением. Ходили по вагону, знакомились, угощали друг друга мамиными-бабушкиными пирожками, допоздна болтали и пели. Вожатые – Катя и Слава – молодые, веселые, все время что-то придумывали. То конкурс на лучшее название отряда, то репетиция отрядной песни, то стенгазета к открытию лагерной смены. «Наш паровоз, вперед лети, в “Салюте” остановка, другого нет у нас пути, в руках у нас путевка!» – пели во весь голос…

В воздухе разливался восхитительный жар, а если высунуть голову из окна, морщась от встречного ветра, можно было дождаться, когда рельсы повернут так, чтобы направо был виден тепловоз, а налево – хвост состава. А потом чей-то крик: «Море!!!» (так, наверное, юнга на мачте кричал: «Земля!»). И все кинулись к окнам, даже странно, что состав не упал набок. И, наконец, приехали, разместились. Первый раз на пляж: воде нет конца, волны такие ласковые. Каждый день то кино, то игра «Зарница». А завтра – прогулка на катере…

И что его понесло на этот Кавказ?! Солнышка захотелось, моря! Получай море! Все тело противное, влажное, рубашка прилипла к спине, а нелепый на его взрослой шее пионерский галстук затянулся мертвой петлей. Опять замутило и поволокло к борту, вцепился в поручни, сейчас вывернет наизнанку. А сзади девчонки хнычут, одна вцепилась в рукав и шепотом: «Я умру сейчас». Обернулся – зеленая вся, как кикимора, зареванная. Он понимает: надо успокоить, им страшно, они дети, а он большой и сильный. Да и обязан – пионервожатый. Напарница его, Катька, хоть и дура на-

битая, но молодцом — вон мечется от одной группки к другой, посмотрела на него и только головой покачала.

Поначалу было даже весело, хоть и страшновато перебираться по колыхающимся мосткам с берега на катер. Белые пенные буруны бежали за ними, как шлейф невесты, берег постепенно удалялся, корпуса их лагеря исчезли, и вокруг полновластно хозяйничала вода. Море было неспокойно, брызги иногда долетали до палубы и солеными каплями сползали по щеке к губам. Дружное: «У-у-у-ух!» сопровождало каждый резкий поворот, когда суденышко кренилось, и все норовили сползти на один борт, цепляясь друг за друга, чтобы удержаться на ногах.

Вету начало укачивать одной из первых. Все поплыло, ее затошнило, а потом стало казаться, что волны растут-растут, вот они уже выше нее, выше домов, огромные, страшные. И море никакое не ласковое, а грозное, враждебное. Она села на жесткую скамью, вцепилась обеими руками в сиденье и, чтобы не видеть набегающих гребешков, уставилась в небо. Надо было отвлечься, и она стала напевать. Почему к ней привязалась не бодрая пионерская «Взвейтесь кострами, синие ночи!», не любимая папина военная «Соловьи, соловьи, не тревожьте солдат...», не старинная, которую часто напевала мама, — «Гори, гори, моя звезда», а невесть где слышанная, из которой помнила только мотив и четыре строчки:

> Запряга-ай-ка, дядька, лошадь,
> Рыжую, косматую-у,
> А я пое-еду в край деревни
> Милую посватаю...

Она стала раскачиваться в такт песне, чтобы сбить ритм накатывающих волн и не чувствовать ухающей палубы, потом отбивать такт ногой. Рядом села смешливая Машка. Вете показалось, что у нее неестественно огромные глаза в пол-лица и белые губы:

— Слушай, Ве-етка-а, а мы не потонем?

В этот момент она увидела, что вожатый Слава стоит у борта, облокотившись на барьер, и вид у него самый несчастный. Ей стало страшно. Сзади заплакала Олька: «Меня тошнит, не могу-у-у...»

Кружилась голова, петь уже не хотелось, не хотелось и смотреть на небо — оно сделалось низким, почти слилось с морем. Вета физически ощущала брезгливость: как можно было входить в это море, радостно плескаться и с визгом брызгать друг на друга?

Неохватная громада воды и воздуха была противной, мыльно-серой, как в тазу, в котором на даче мыли посуду. И ей вдруг так захотелось домой, на дачу, сесть на велосипед, проехать по окаймленной лопухами тропинке к поляне, где с одного края заросли малины, а с другого — черничник... А вдруг они сейчас пойдут ко дну? И это что же, конец жизни? И ее больше не будет? А как же мама и папа? Да, наверное, конец — вон Слава, вожатый, схватился за голову...

Отнял руки от лица. Ладонь взмокла, влага смешалась с грязью и растеклась по хиромантическим линиям. И линия жизни превратилась в реку, текущую откуда? куда? То есть у нее был исток, но она никуда не впадала, пересыхала, как на географической карте речки в пустынях: ниточка истончается, истончается, потом превращается в пунктир и наконец исчезает. Помнил со школьных уроков страницу атласа: «Казахская ССР». И экзотические названия с бьющей в глаза буквой «ы» — пески Мойынкум, реки Ушозен, Шылбыр. Текут из ниоткуда в никуда...

Машка прижалась к ней и зашептала прямо в ухо, щекоча дыханием:

— Клянись, что никому не скажешь!

Вета бессильно кивнула.

— А мне ничего не страшно. Меня бабушка тайком маленькую покрестила, так что я — особенная, не такая, как все вы. И у меня будет вечная загробная жизнь.

В другой момент это признание потрясло бы Вету, но не сейчас. Она вообразила себя в гробу – красивую, всю в цветах, кругом плачут. Только маму и папу она не могла себе представить...

Вожатая Катя подошла к ним:

– Ну как вы, девчонки? Держитесь! Кто же знал, что оно так разбушуется. Смотрите, вон уже берег. Немного успокоится – и мы причалим.

Действительно, Вета и не заметила, как сквозь марево проступили очертания гор, тонкой линией прорисовалась песчаная лента пляжа...

Спускались на сушу на дрожащих ногах, колени так и норовили подогнуться.

Стараясь не встречаться взглядом с Катькой, он быстро прошел к себе в комнату. Достал из ящика календарь, на котором, как насмешка, была глянцевая репродукция: Айвазовский, «Девятый вал», и, тыча пальцем, подсчитал: до конца смены осталось 17 дней...

А назавтра Вета отправила домой телеграмму, которая родителей так изумила и напугала, что они помчались на переговорный пункт, звонить в лагерь: «*Все хорошо, я жива*».

И с тех пор она море невзлюбила. До поры считала, что навсегда...

Репетиция веры

1973

В их блочной девятиэтажке, конечно же, не было никаких лифтерш. Хотя лифт был и, надо сказать, работал вполне исправно. Зато у Надюши в «кооперативе научно-исследовательских работников» подъезд украшали горшки с цветами, и за нелепо, хоть и привычно там выглядящим конторским письменным столом важно восседала, как писали в заграничных романах, консьержка. Их было три — сменных, каждая колоритна по-своему. Все — личности весьма влиятельные и вместе с домоуправом составлявшие целое учреждение. Лифтерши знали не только обитателей каждой квартиры, но их родных и друзей — всех, кто более или менее часто приходил в гости или по делам. И не только в лицо и по именам, но в неведомо как собранных подробностях.

Вета каждый день заходила за Надюшей по дороге в школу и ждала у стола на старинном, кем-то выброшенном кресле. Так повелось. В институтские годы продолжилось — поступили в разные, но оказались в соседних зданиях: Надюша прорвалась в медицинский — исполнила детскую мечту, а Вета без призвания, так, по семейной традиции, как мама, — в педагогический на русский и литературу. Теперь не рядом в школу бегали, а ездили неблизко — на метро из Черемушек на Пироговку, и опять она ждала около лифтерши, только уже не в уютном кресле, а на неудобном канцелярском стуле. Надюша вечно опаздывала, годы шли, ничего не менялось.

Ну ладно, если Ветка такая вся положительная-пунктуальная, пусть в конце концов ездит одна! Почему надо каждое утро устраивать сумасшедший дом, что случится, если войдет в аудиторию на три минуты позже... У них посерьезнее учеба будет — сегодня пропустишь, завтра человека на тот свет отправишь, и то ничего. А что она проморгает: слитно писать или раздельно? Важно, конечно, но не смертельно. И что ее потянуло в этот пед: в учебе никакого интереса, в перерывах одни бабские сопливые ля-ля, а на всю жизнь вперед и заглянуть страшно... Ведь вполне могла бы с ней вместе поступить в медицинский, химия у нее вообще шикарно шла, да и остальное. Крови она, мол, боится. Да просто курица бесхребетная, ей лишь бы все было тихо-мирно, с ума сходит, если кто-то поссорился, готова всем уступать. Вот мужу счастье привалит! Девушка без недостатков! Да еще и хорошенькая. Правда, скучновата...

Нина Кирилловна не покидала поста уже невесть сколько лет и помнила Вету первоклассницей с белыми лентами в длинных косах, заплетенных «корзиночкой».

– Нина Кирилловна, а если подсчитать, сколько пар носок вы за эти годы связали? – Вета уже заметно нервничала, но звонить не хотелось, хотя телефон важно стоял на столе по соседству с табличкой «Служебный. Личные разговоры строго запрещены». Она прекрасно знала, что происходило в квартире на пятом этаже: Надюша металась в поисках кошелька или косметички – всегда одно и то же. «А как правильно – “носок” или “носков”, – отметила она и обрадовалась своему интересу, потому что он вспыхивал редко, и она уже понимала, что никогда не полюбит профессию. Но новых мечтаний так и не появилось, поэтому жизнь текла от сессии до сессии с перерывами на каникулярные развлечения.

– Кто же считать-то станет, деточка, главное – носились бы с удовольствием.

— Да, я в ваших, с голубыми полосками, в походе как королева была, — согласилась Вета.

Шерсть надо было приносить самим, с непременной остротой — «из шерсти заказчика», а за работу Нина Кирилловна брала только конфетами — сластена была неслыханная, что сильно сказалось на ее теперь необъятной фигуре. Хотя, как ни странно, двигалась она легко и лестницу мыла молодой сменщице Любе на зависть.

Люба не скрывала, что сюда поступила ненадолго, «до лучших времен», под каковыми она однозначно подразумевала удачное замужество. Она приехала из тульской деревни, ночевала, когда не на дежурстве, у двоюродной тетки и жадно всматривалась в каждого, входящего в подъезд.

— Вы, разрешите поинтересоваться, в которую квартиру направляетесь? — так с ослепительной улыбкой обращалась Люба к входящим мужчинам.

— Вы к кому? — это сухо, к женщинам.

У Веты она всегда спрашивала совета, куда в Москве ходят «приличные люди», и очень огорчилась, узнав, что у нее на факультете учатся одни девочки:

— А сами-то где женихов искать собираетесь? — все выпытывала она и удивлялась, что это может не быть главной заботой.

На самом деле Вета лукавила. И тема эта ее весьма занимала. Прошлым летом, когда ездили в диалектологическую экспедицию на Вологодчину, к ним присоединили несколько мальчиков-историков, с одним из которых у нее сразу же установился тон легкого флирта, и все вокруг начали перемигиваться, давать советы и всячески способствовать развитию их с Митей романа. Руководительница группы смотрела сквозь пальцы на поздние приходы по вечерам, ставила их вместе на дежурства по кухне. Вете все это льстило, ей приятно было открыто ходить, взявшись за руки, по деревенской улице и целоваться в ближайшей роще. Они строили планы, как в Москве пойдут в театр и на каток, но ей почему-то не было весело думать об этом, не хотелось купить новую кофточку, даже не рвалась она скорее поведать о своем счастье Надюше. Но похвастаться все же захотелось, и она устроила совместный поход в Исторический музей, где Митя, ясное дело, разливался соловьем про любимые свои древности. Но нет, счастья не было. И «курортный роман» тихо сошел на нет.

Ветке-то хорошо, волосы по плечам распустила, челку набок смахнула — и всегда причесана. Или наоборот — стянула в хвост конский или пучок на затылке, даже стильно. А она каждый бо-

жий день должна воевать со своими кудрями, чтобы потом, еле скрывая ярость, слышать: «Счастливая, волосы сами вьются». А Ветка за собой следить не умеет, она ей на день рождения тушь купила шикарную, час в «Ванде» в очереди стояла — ресницы, как наклеенные, ни комочка, пушистые, так только по праздникам ею пользуется. Еще не хватало платочек на голову — и в церковь, Надюша уже заметила, как она подолгу с Тоней сидит, беседует. А недавно на стенку икону повесила...

И вдруг сегодня Люба огорошила Вету вопросом:

— Слушай, а ты крещеная?

Вета поняла, что Люба сменила на посту Тоню — маленькую, сухонькую, какую-то юркую, как ящерка, казавшуюся древней старушкой, хотя сыну было всего двадцать пять. Тоня не скрывала, что ходит в церковь, брызгала святой водой на свое рабочее место, чем приводила в ярость Нину Кирилловну («Брезгует нами!»), не ела мяса в пост и по засаленной тетрадочке читала молитвы, про себя, но шевеля губами.

— Меня-то бабушка у батюшки знакомого в Туле окрестила, — продолжала Люба, переходя на шепот, — так мне Тоня обещала написать молитву на жениха и какой иконе свечку ставить.

Вопрос веры никогда особенно Вету не трогал, она считала Бога принадлежностью прошлого века, атрибутом классической литературы и живописи, не существующим в современной жизни. Хотя на Пасху она несколько раз ходила к церкви, окруженной милицией, поглазеть на крестный ход, послушать нестройное пение и со всеми вместе прокричать: «Воистину воскрес!». Но потом процессия скрывалась в храме, и она возвращалась домой смотреть по телевизору концерт западных рок-музыкантов, который показывали только в эту ночь, как будто это могло отвлечь православных от их главного праздника. Мама красила яйца луковой шелухой и покупала к чаю кекс «Весенний», который, смеясь, все называли истинным именем «кулич».

В жизни Вета не встречала ни одного живого верующего, а в церкви заходила только во время экскурсий. Но в тот единственный раз, когда они с Митей целый день провели вместе, была поездка во Владимир и Суздаль от их факультета. Митя был очень горд, что с ним поехала девушка, вел себя нарочито развязно и нелепо красовался перед однокурсниками. Преподаватель договорился, что их отвезут туда, куда обычно не любят ездить экскурсионные автобусы из-за разбитой дороги, – к церкви Покрова на Нерли.

У Веты захватило дух... Это была не просто красота, храм окружал только ей видимый ореол, нимб, ей захотелось встать на колени и сказать что-то очень важное, может быть, вообще самое главное в жизни. Она попыталась объяснить это Мите, когда всех торопливо загнали обратно в автобус («Запомните, шедевр архитектуры, торжество пропорций, а внутрь не пускают, потому что ничего не сохранилось»), но тот был озабочен термосом с чаем.

Дома расспросила родителей. Нет, ни у мамы, ни у отца в семье религиозных традиций не было.

– Хотя моя бабушка, прабабка твоя, Наталья Егоровна Тихая в церковь захаживала, икона висела, она и сейчас где-то на антресолях, – сказала мама.

Икону эту Вета нашла: Богородица с младенцем на потемневшей доске – и унесла в свою комнату. Она знала, что для икон есть какой-то красный угол, но повесила просто на стену, как картину. Говорила всем – фамильная, память о прабабушке, и жалела, что утратилась их родовая фамилия – Тихая, мамина девичья, сама она, как и мама, звалась по папе – Яснова, тоже вообще-то красиво.

Раздражение никогда не идет на пользу. Волосы не желали укладываться, время бежало, Надюша вспомнила про невыученную латынь, и настроение вконец испортилось. Она спустилась вниз, удивившись, что Вета оживленно болтает с деревенщиной Любой, пожаловалась на адскую головную боль, сказала, что останется дома, и тупо провалялась весь день, то включая, то выключая телевизор. К вечеру она поняла, что на самом деле остро завидует «правильной» подруге Ветке.

А в церковь «по делу» Вета впервые попала как раз из-за Тони. Приходит однажды – та плачет, и рука у нее загипсованная на перевязи.

– Тетя Тоня, как угораздило?

– По грехам моим, видно, деточка. Наказал Господь, прямо в храме оступилась, плитка в полу выпала. Молилась перед иконой Спаса Нерукотворного, а сзади старушка подошла свечку поставить, так я, чтоб дать ей дорогу, шагнула в сторону, да и споткнулась. Главное: первый день Великого поста был, самый покаянный, а у меня рука правая сломана – даже не перекреститься. Точно – Божья кара.

– Да ладно вам, тетя Тоня, убиваться, случайно так вышло. Главное, чтобы срослась кость правильно, – стала утешать Вета.

– Случайного, девочка, в нашей жизни ничего нет. Бог всевидящий, у него даже волосы на твоей голове сочтены, – возразила Тоня.

— Может, помочь вам чем-то?

— Сходи в храм, подай записочку за мое здравие.

— А как, я не знаю.

— Так я научу.

Войти в церковь не экскурсанткой оказалось страшно. Было пусто и гулко, каждый шаг отдавался в висках. «Свечной ящик» нашелся прямо при входе. Вета подала записку.

— Простая или заказная? — спросила ее странно молодая и бледно-восковая женщина в темном платочке.

— Давайте как лучше, — глупо ответила Вета, удивившись, не все ли равно Богу, если он и вправду всевидящ.

Она купила свечку и, как велела тетя Тоня, поставила ее целителю Пантелеймону, краснея, спросив у восковой женщины, где эта икона. Постояла, глядя на горящую свечку, пытаясь представить себе, что вот она придет к Тоне, а у нее уже гипса нет, и рука в порядке. Но тут же устыдилась собственной веры в такое простое, прямолинейное чудо.

Рука срослась в обещанный врачами срок, а Вета много лет не переступала порога храма.

Репетиция свадьбы
1974

Сначала она остолбенела. В прямом смысле слова. Превратилась в каменный, нет, бетонный столб. И не от того, что Надюша говорила – смысл не сразу дошел, а потому что та заливалась слезами и все повторяла: «Ты никогда меня не простишь, я сука, сука последняя!», и даже порывалась встать перед Ветой на колени.

Как ни старался, не мог не сравнивать. У Надюши длинное белое платье – кружевное, по-старинному, как-то по-бальному открытое, цветы в незнакомой пышной прическе, непривычное соотношение в росте из-за высоких каблуков, а главное – взгляд, которому он никак не мог найти определения, – не то растерянный, не то торжествующий. От кукол и мишек на машину он сумел отбояриться, а вот черный костюм жениху и ленты для свидетелей обсуждению не подлежали. Его дружок был в темно-сером костюме, надеванном всего один раз на школьный выпускной, и лента с несуразно огромной от плеча до пупка надписью «Свидетель», скорее, оживляла его нелепо официальный вид. А Вета с буднично собранными в хвост волосами выглядела не лучшим образом. Ей страшно не шел вынужденно-поросячий цвет платья, подбиравшийся под красную с золотом широкую ленту, некрасиво перерезавшую фигуру по диагонали.

На самом деле Вета ничего не испытала, кроме облегчения. Уже полгода она не могла понять, что творится с Надюшей, а про Митю думать забыла. У нее была новая компания – однокурсница познакомила. Там пели под гитару «Милая моя, солнышко лесное...», «Лыжи у печки стоят...», топтались в медленном танце, пили кислое вино и целовались на лестничной клетке. И Миша, будущий муж, уже приглядывался к ней и просил распускать волосы, чтобы падали на плечи. Так легко быть благородной...

В ЗАГСе их разлучили. Надюшу отправили в комнату невест, а он со свидетелями должен был заполнять какие-то бумаги. Взглянув на Вету,

Митя не ко времени вспомнил ее тогда, у храма Покрова на Нерли. Почему у них ничего не вышло? И сам себе ответил. С ней было неловко, стесненно. А с Надюшей, с той первой встречи в Историческом музее, началась необязательная, легкая болтовня, возникла идея сходить в Новодевичий монастырь. И как-то само собой получилось, что Вета оказалась третьей лишней. Надюша переживала, казнила себя за предательство лучшей подруги, не знала, как ей открыться, а у него никаких угрызений совести не было. «Пойми, нас ничего, ничего не связывало», — убеждал он Надюшу.

Ну и что с того, что развелись через неполных два года? Зато Надюша избежала унизительных родительских «чтобы дома была не позже одиннадцати» и «береги честь смолоду». Зато она уже была *дама, женщина с прошлым*, а это отчего-то чрезвычайно ценилось в их еще щенячьих студенческих компаниях. И на ее, Ветиной, свадьбе Надюша, уже опять невеста, с легким превосходством и даже снисходительностью кричала «Горько!» и танцевала без устали.

Мите все нравилось. И то, что он теперь взрослый мужик с обручальным кольцом, странно теснившим безымянный палец и резко отрубавшим от глупых пьянок, и то, что родители довольны им, невесткой и новой родней, и то, что его жена такая красивая и хозяйственная, и что скромная свадьба будет в кафе. Вот только просчитались они с датой, оказалось накануне армейского праздника 23 февраля. Цветов будет не достать, все сметут для доблестных защитников. Но Надюша, посоветовавшись с продавщицей, купила белые гвоздики заранее и положила, завернув в два слоя газет, на нижнюю полку холодильника. Вечером пришел с заседания кафедры голодный тесть – хвать, а это цветы, думал, что померещилось от переутомления. А гвоздики свежие-свежие, — подумал Митя, — они уже вошли в светлый зал, и дежурно улыбающаяся тетенька, закованная, как в скафандр, в официальный костюм, прочищала горло, чтобы рассказать про счастливую советскую семью.

Вета попыталась представить себя на месте Надюши. Да, она была хороша, Вета непременно тоже будет в длинном белом платье, и фотограф, смешно приседая и подскакивая, то замирая, то опять срываясь с места, станет щелкать и щелкать, чтобы нарядный альбом, как бессмысленный клад, зарытый в позабытом месте, лег на нижнюю полку шкафа. А внучка, когда достанут и сотрут пыль, вслух восхищаясь, будет изумляться безвкусности нарядов и глупости церемонии. Впрочем, нет. У нее, Веты, лучше пусть будет все не так. Свадьба только летом, цветы – ромашки и васильки, платье – пестрое, после ЗАГСа – переодеться, и за город. А жених... Тут она задумалась, потому что ясности не было. Надо дождаться любви, вот что.

Мите вдруг стало душно. Захотелось разодрать петлю галстука, вырваться из объятий пиджака, скинуть синтетику белой рубашки. Захотелось в заснеженный лес. Но все происходило взаправду и всерьез. Мама даже слезинку смахнула. А ему в ладонь кто-то вложил перо, и он подписал приговор.

Начиталась русской классики на своем филфаке! Любовь...

Митя не то чтобы надрался, выпил-то немного, но его подразвезло. И когда друг-свидетель пригласил Надюшу на танец, он по протоколу должен был танцевать с Ветой. Не сдержался, спросил: «Не сердишься?» – «Что ты, я так за вас рада». А глаза у самой не грустные, но куда-то мимо него смотрящие. Надо будет ее с кем-нибудь из ребят познакомить.

Заглянуть бы лет на тридцать вперед... Митя – рядовой чиновник департамента культурного наследия, по выходным попивает в бане пивко с приятелями, отдыхая от ворчания обрюзгшей жены и жалоб засидевшейся в девках колобкообразной дочери; Надюша – бездетная, второй раз разведенная, молодящаяся – не врач, а «врачиха» (машинально: «а теперь прикройте левый глаз и читайте третью строчку таблицы» и неизменно раздраженно: «сколько еще больных в коридоре?») и Вета, вдова с сыном-горе-бизнесменом, застрявшая на всю жизнь в секретарском предбаннике.

Могло быть иначе?..

Репетиция материнства
1975

Еда в студенческой столовке была отвратительная. А главное – запах, напрочь отбивающий аппетит. Хотя там всегда было полно. Немногочисленные их мальчики – откуда на гуманитарных факультетах пединститута многочисленные! – вечно голодные после лекций не брезговали однообразным меню – «суп на м/б и рыба с к/п» (суп на мясном бульоне и рыба с картофельным пюре, если кто забыл). Вета свой заветный рубль на обед редко оставляла в гремящем подносами зале. Через два дома была булочная, где в кондитерском отделе триста грамм конфет «Цитрон» – ровно девяносто девять копеек, а немного добавить – так пачка тахинной халвы. А если шикануть, то в соседнем овощном хорошо было запить эти сладости яблочным соком, который продавщица, повернув краник, наливала из стеклянного конуса. Одно удивительно: при таком режиме питания к концу института она легко застегивала молнии на сшитых в школе юбках.

Кулинарные рецепты по студенческой безбытности и дефиците продуктов девочек не слишком волновали. Но однажды им пришлось удивиться людской изобретательности.

В академический отпуск ушла Маринка, не первая и не последняя из Ветиной группы. А вот не отстать от курса – это был подвиг. Скорее, конечно, не ее, а бабушкин, которая со своим «неполным средним» — сельской семилеткой — благоговела перед будущим внучкиным «учительским» дипломом и самоотверженно ночами укачивала ребенка, чтобы та выспалась перед очередным зачетом. Так что свободное посещение плюс помощь домашних: муж стирает, мама гладит, папа гуляет – и вот она сдает сессии вместе со всеми. Ну и девочки, конечно, – без их конспектов куда. Поэтому, когда зайке ее исполнился годик, она решила их угостить. Был жаркий май, устроились в садике на лавочке, она достала газировку, бутерброды, а главное – тщательно упакованные в картонные коробки из-под яиц – в каждой ячейке уместились по три штуки – домашнего изготовления конфеты-трюфели.

В этот день свой обеденный рубль Вета сэкономила. Долго молодая мама всех мучила – не открывала рецепт, а потом все ахнули:

– В большую миску высыпаете пачку сухой смеси для детского питания «Малютка» (смотрите, не купите «Малыш» – это совсем другое!), добавляете размягченную пачку сливочного мороженого, 150 грамм сливочного масла, полпачки какао «Золотой ярлык» и щепотку соли. Все это долго и тщательно перемешиваете. Потом скатываете шарики, выкладываете на доску и в холодильник. Когда начнут застывать – обвалять в оставшемся какао и опять в холодильник.

Вета старательно, как на лекции, все записала, однако так этим изобретательным рецептом никогда не воспользовалась.

Но через две недели, когда сдавали очередной экзамен, Маринка пришла в институт с коляской и рассказала, что вся семья свалилась с кашлем-насморком, зайку оставить не с кем, а она всю ночь старославянский зубрила, так обидно не сдать. «Веточка, спасай, посиди с ней в садике часок... Да она спать будет, а если вдруг проснется, бутылочку ей сунешь...»

«Интересно все-таки, как эгоистично устроен человек, – думала Вета, поднимая неожиданно тяжелую коляску на высокий бульварный бордюр, – Маринке и в голову не пришло, что ей-то самой тоже надо эти «еры» и «ери» с себя сбросить, да еще желательно стипендию повышенную не погубить». Теперь придется идти сдавать в хвосте группы, чего она терпеть не могла.

В этот утренний час пенсионеры еще пили по домам жидкий чай, а на лавочках только и сидели молодые мамаши, обессиленные хроническим недосыпом, и как-то механически и бессмысленно трясли-качали мирно сопящих младенцев. Они встречались тут регулярно, некоторые оживленно болтали, но все без исключения с откровенным любопытством разглядывали Вету. Одна не выдержала:

– Это кто у нас – мальчик, девочка? – сюсюкающим таким голосочком, как положено не только с детьми, но и о детях.

– Девочка, – односложно ответила Вета.

– И сколько же нам? – не отставала мамаша.

– Год, – уже раздраженно ответила Вета, понимая, что надо уходить.

– И как же нас зовут? – изнемогала от любопытства прилипала. Она уже бросила своего ребенка и норовила сунуть голову в Ветину коляску.

Забавно, что Вета не могла вспомнить – а может быть, даже и не знала имени девочки, Маринка всегда говорила: «моя зайка».

И тут вдруг зайчиха эта открыла глаза и заорала на весь бульвар. Зато приставучих мамаш как ветром сдуло: подхватились — и наутек, чтобы крик их чадушек не разбудил.

Вета сначала пыталась ее укачивать, потом быстро покатила коляску по аллее — не помогло. Тогда полезла за бутылочкой.

Не может быть еда такого омерзительного, неживого, несъедобного цвета! Вета с изумлением наблюдала, как, сладострастно причмокивая, ребенок поглощал зелено-фиолетовое месиво. Плач унялся в ту же секунду, как она поднесла соску к орущему рту. Отдав в крошечные цепкие ручки бутылочку, она покатила к дверям факультета. Глядишь, скоро Маринка выйдет. А та уже бежала им навстречу, радостно помахивая зачеткой.

«Урра! Сдала на четверку! Какая я все-таки молодец!» — не удержалась, закружилась, в ладоши захлопала. И замерла: «А вдруг зайка спит, а я раскричалась!» Ветке спасибо, побежала, бедная, сдавать. Хоть бы получила свою очередную пятерку. А то будет стыдно: заставила за зайкой смотреть, она, наверное, иззавидовалась, расстроилась, все перезабыла...

Еще через час, когда Вета, довольная и удачными вопросами, и своими ответами, вышла на улицу, Марина в окружении девочек так и стояла там с коляской.

А на защиту диплома сама Вета придет с животом.

Еще через двадцать лет она купит удобный бюстгальтер – мягкий, с широкими лямками. Дома увидит какие-то непонятные застежки спереди – оказывается, для кормящих матерей. То-то продавщица так странно посмотрела, когда Вета с ним в примерочную кабинку отправилась. Да, кормящей бабушки из нее так и не вышло.

Репетиция немощи
1982

К концу самой длинной третьей четверти Вета уже совершенно изнемогла. Ждала каникул, наверное, куда больше, чем все ее ученики вместе взятые. Грела ее только одна мысль: это ее последние каникулы. Три года барщины, три года мучений почти позади. На комиссию по распределению она шла спокойно: мало того что замужем, еще и ждет ребенка. Незамужние девчонки из ее группы ревмя ревели в коридоре: сельская школа в Красноярском крае, большая там нехватка учителей русского и литературы... Вета думала, что ей дадут свободный диплом, не тут-то было – хоть в Москве, но как назло на другом ее конце изволь три года сеять разумное, доброе, вечное. Робкие попытки размахивать справкой из женской консультации и по-хорошему объяснять, что на работу выйдет она, считай, через два года и, быть может, вовсе не будет той школе в Медведкове нужна, оказались бесполезны. Но в тот момент Вете любая работа казалась делом таким далеким, почти нереальным – ребенок уже начал потихоньку шевелиться, толкаясь то в правый, то в левый бок, и только это было важно.

Ну конечно, расстроилась тогда. А ведь когда в педагогический собралась, говорила ей: «Доченька, подумай хорошенько, ну любишь ты книжки читать, так ведь никуда от тебя это не уйдет, а профессия – это совсем другое. Кроме школы – куда?». Да кто ж слушает матерей... Беда в том, что призвания не было. Ведь она с детства мечтала стать врачом, но в эвакуации в Кировской области разве до учебы было – больше на базаре времени проводила, чем в школе, меняла из Москвы привезенное барахло на продукты. В училище медицинское поступила, думала, потом легче будет в институт попасть, но нужен был стаж, а дальше – замуж вышла, Вета родилась. Так и застряла лаборантом в рентгеновском кабинете. А теперь думает: вот точно, что Бог ни делает – все к лучшему. В сорок пять лет где бы она пенсию заработала? Еще и сейчас бы оставался год до «заслуженного отдыха», а так Павлик не в казенном доме, с бабушкой растет – есть разница?

В марте по-всякому бывает. «Пришел марток – надевай две пары порток», – говорила Нина Кирилловна, лифтерша, вязавшая шерстяные носки. А в этом году тепло, снег только кое-где во дворах остался, а Павлик уже пускал вырезанную отцом из сосновой коры лодочку вниз по веселому ручейку, и Вета едва спасла ее от гибели в ливневой решетке. Эту лодочку Павлик очень любил и еще совсем маленьким играл с ней в ванне. Она бежала за легкой скорлупкой и насквозь промочила ноги – Павлика обула в резиновые сапоги, а самой так захотелось вылезти из тяжелой обуви в туфельки! Вета знала, что высшим шиком у ее учениц считалось после каникул, первого апреля прийти в школу в гольфах, правда, немногие отважные мамы решались уступить дочкиным мольбам. Павлик шлепал по лужам, кругом разлетался водяной веер – с мамой можно! Бабушка, конечно, не допустила бы такого безобразия. Вета вдруг почувствовала себя девочкой, захотелось тоже топнуть по середине озерца у подъезда, все равно ноги напрочь мокрые: «Павлик, давай вместе – раз, два, три!»...

На мгновение от боли отвлек только отчаянный рев Павлика. Вета поняла, что лежит в луже на боку и не может шевельнуть рукой. Еле поднялась – хорошо, что до двери пять шагов. А дальше – травмопункт, угрюмый дежурный хирург, рентген и приговор: перелом правого локтевого сустава со смещением, гипс на полтора месяца, хорошо, если обойдется без операции.

Допрыгалась. Теперь они с зятем нянъками стали, даже Павлик помочъ старается. А она толъко с книжкой на диване устраивается.

Причесаться. Почистить зубы. Одеться. Молнию на юбке застегнуть. Налить чашку чаю. Открыть ключом дверь. Все, решительно все стало проблемой. Пошла в магазин, сумка, кошелек, ну как? Понятна была немощь в старости, но это виделось за такими лесами-морями, а вот вдруг на ровном месте и ничего не можешь без помощи! Зато больничный лист отсрочил возвращение на работу. Как-нибудь аттестует за год, и перед летним отпуском – шварк директрисе заявление на стол! Разлука будет без печали – неприязнь у них взаимная. Солдафонка со старомодным начесом по прозвищу Шлёпка – за вечные тапочки без задника, в которых на удивление ловко носилась по лестницам и коридорам, высматривая отступление от «норм и правил», не раз выговаривала Вете за закрытыми дверями казенного, безликого кабинета: «Ты, моя хорошая (и «тыканье», и отдающее угрозой псевдоласковое обращение были неизменны), молодая еще, конечно, но сама уже мать, должна авторитет иметь такой, чтобы *они* (иначе за глаза она учеников не называла) за сто метров шаги твои заслышав, по струнке вытягивались».

И даже не старается! Могла бы как-нибудь левой рукой исхитриться...

Что она будет делать, когда первого сентября не надо будет выходить на уроки, Вета не думала. Как вообще люди ищут работу? Говорят, «по знакомству». Но она как когда-то не понимала, в какой вуз поступать, так и сейчас не знала, какая работа казалась бы ей идеальной. Издательство? Но там не было никаких «знакомств», да и как делаются книги, она имела смутное представление. А газеты – тем более. Вета тупо слонялась по дому, закованная рука ныла, она сама себе была противна, жизнь представлялась серым тоскливым полотном. Мать замучила поучениями, муж казался необходимым предметом мебели, даже Павлик раздражал то непослушанием, то шумом, то непонятливостью. Надюша отреагировала на ее жалобы по-медицински четко: «У тебя, дорогая, депрессия. Надо срочно купить что-нибудь новое. Сестра моей пациентки танцует в ансамбле "Березка", знаешь, такая клюква в кокошниках, зато гастроли по всему свету. Звала посмотреть шмотки, которые на продажу привезла, пойдем?»

Не любила она эту Веткину подружку, давно, еще со школы. Вертихвостка. И как в медицинский поступила? Поди, по блату, отец ее преподает в каких-то университетах. Жениха у Веты отбила, двух лет с ним не прожила – развелись. И что-то очередь не стоит из новых, так и живет при родителях. И только Вету сбивает: то выставка какая-то, надо на морозе три часа в хвосте маяться, то волосы покрасить подбила, мол, оттенок тусклый, а теперь вот – тряпки заморские. Не понимает она, что у Веты семья, заботы...

Инженерские мужнины деньги да ее школьная ставка плюс мамина пенсия, в общем, жили «как все». Деньги лежали в железной коробке из-под Павликова новогоднего подарка с какой-то елки, вот и брали. Откладывали на стратегические нужды: ремонт на даче, пальто зимнее, отпуск. Гора кофточек, небрежно раскиданная по дивану, ошеломила Вету, но Дед Мороз с коробки смотрел строго, хоть цены были не намного выше, чем на угрюмый трикотаж в магазине «Весна». Все развеселились, потому что надеть ничего на загипсованную руку было нельзя – пришлось ограничиться прикладыванием и кособокой примеркой. Права, права была Надюша – Вета поняла, как давно не чувствовала себя женщиной! Балетная худоба, рядом с которой она казалась коровой сорок шестого размера, порхающие руки, небрежно копошащиеся в ворохе сокровищ... В конце концов, муки выбора сосредоточились на бирюзовой водолазке и салатовом джемпере с легким люрексом. Конечно, водолазка практичней, но джемпер так идет к глазам! Надюша не выдержала:

– Бери обе, я заплачу, вернешь, когда сможешь.

У лифта Вета смущенно попросила:

– Возьми джемпер пока к себе, я не хочу...

– Ладно, чего объяснять. За семейное счастье приходится расплачиваться, – съязвила Надюша.

Не нравилось ей, как дети живут. То есть они не ругались, Миша не пил, зарплату всю приносил, с ребенком играл, Вета дом содержала в чистоте, но по всему видно было: счастья нет. То ли дело они с покойником Коленькой: сядут, бывало, на диван, обнимутся и молчат – слов не надо было. Скоро два года как ушел – что такое пятьдесят четыре, смешной возраст для мужика...

Бабушка без конца читала Павлику сказки. Он, как все дети, хоть и знал книжку наизусть, требовал еще и еще. Особенно любил «Царевну-лягушку», чем непонятнее, тем интереснее: «Смерть Кощея на конце иглы, игла – в яйце, яйцо – в утке, утка – в зайце, заяц – в ларце. А ларец на вершине старого дуба. Дуб растет в дремучем лесу...»

И не могли они тогда знать, что осталось ей жизни несколько месяцев, что смерть ее, как в той сказке, на кончике иглы...

Репетиция страха
1985

Как же она устала за эти дни! Вета видела, что другие воспринимают эту поездку чуть ли не как праздник, во всяком случае, как приключение — нарушение рутинного течения будней, новый пейзаж, новые лица... Они — гости, все вокруг стараются угодить, показать город, накормить вкусно... А что до самой конференции, так потом напечатают доклады, можно и дома вникнуть, главное — свой с выражением прочитать, а он не раз отрепетирован, так что бояться нечего. Собственно, доклад всем отделом готовили, обсуждали, только начеку надо быть, если какой отличник местный или приезжий вопросы станет задавать.

А ей и вовсе отпуск: всего-то дел билеты раздать, документы командировочные и прочие бумаги оформить, программы заседаний да тезисы собрать. Вета вообще не понимала, зачем она нужна в этой поездке, в командировку ехала впервые в жизни и, честно говоря, побаивалась, хотя сотрудники подобрались симпатичные, непьющие. И только в крошечном после Москвы зале прилета, где их уже ждали встречающие с цветами, она прозрела: шеф отправил ее отдохнуть – это же поощрение, а вовсе не неприятность, как она сказала вечером Мише: «Представляешь, меня заставляют лететь в командировку, черт-те куда, в Курган – там наши в конференции участвуют. Вылет в среду, два дня заседания, а в выходные – еще какие-то экскурсии, но я договорилась, что утром в субботу вернусь. Так что вы с Павликом только три с половиной дня без меня будете».

И когда ее с почестями и сожалениями («как нам жаль, что вы не поедете с нами смотреть дома декабристов, но понимаем, семья – святое») посадили в такси и по разбитому узкому шоссе, разбрызгивая ноябрьскую грязь, машина двинулась к аэропорту, Вета готова была расплакаться от досады. Как давно, со студенческих лет, не испытывала она этой безответственной экскурсионной легкости: конфетку протянули с соседнего сиденья, за окном – дома, чужая жизнь... Зачем она решила уехать раньше, кому нужна ее жертва? Павлику? Мише? Вчера из гостиницы звонила домой, и Павлик с гордостью сообщил, что они с папой сварили «настоящий борщ». Вету кольнуло еще тогда – она, мол, готовит «ненастоящие», что ли? Глупо все... Настроение упало, погода была скверная, самолет задержали уже на два часа, хозяева звонили в справочную, обещали, что через час вылетит.

Здание аэропорта, похожее на большой грубо сколоченный сарай, стояло посреди поля и продувалось ледяным ветром так, что казалось, вот-вот зашатается, как домик Нуф-Нуфа и Ниф-Нифа из любимой Пашиной сказки. А когда Вета оказалась внутри, впору было запеть «Нам не страшен серый волк», потому что испугаться было чего.

Он заметил эту женщину сразу, как только она вошла, впустив поток сырого, промозглого воздуха, и усмехнулся: сейчас оглядится и ахнет... Пол в зале ожидания был покрыт черно-белым ковром хрустящей под ногами семечковой шелухи, которую усталая уборщица уже перестала подметать. Детский плач, резкие мужские голоса и перекрывающие все это гортанные женские выкрики. В глазах пестро от ярких юбок и платков.

Вета остолбенела в двух шагах от входа. Куда она попала? В этот момент ей под ноги бросился цыганенок, дернул за рукав: «Тетя, конфетку дай!» Она отмахнулась, но подскочили еще две девчонки, и вот Вета уж в плотном кольце. А тут и неспешно подплыла, шурша каскадом юбок, толстая цыганка: «Погадаю, красавица».

Он понял, что пора действовать. Подошел решительно, отогнал всех:

– Простите, что вмешался, но я вижу, что вам не справиться. – Он наслаждался ролью спасителя, женщина оказалась молодой, симпатичной и смертельно напуганной. – Они тут уже три часа, целый табор, наверное, – вон что натворили. Я спросил в кассе – с паспортами и билетами – не выгонишь.

Вета перевела дух:

– Спасибо, я и не знала, куда бежать, только сумку к себе прижала, чтобы не вырвали. Ничего себе история. Они, что же, в Москву летят?

– Да, другого самолета сегодня нет, так что мы проведем три часа в хорошей компании.

Хрипящие звуки, только отдаленно напоминающие человеческую речь и едва слышные за веселым многоголосьем, оказались приглашением на посадку. Вета села у окна, а от прохода ее отгородил все тот же спаситель.

«Вот тебе и приключение: он, она и табор цыган». Он впервые за эти дни повеселел: выкрашенные унылой грязно-бурой краской стены, неповтори-

мый запах больничной столовой, мерное постукивание костылей по линолеуму, пижамы, халаты, прокуренные лестничные площадки, объявление «Лифт поднимает только бедренников», вонючий сортир в конце коридора, тесные палаты, древние кровати с продавленной панцирной сеткой... И это – прибежище самой передовой медицинской технологии! Правда, рядом для профессора Илизарова строится новый корпус, но когда это будет. Да еще поди доберись, больница на краю города: автобус два раза в час без всякого, разумеется, расписания.

Самолет болтало, шум стоял невообразимый. В очередной воздушной яме пожилая цыганка, видимо, какое-то таборное начальство, сдернула с головы платок и запричитала. Тут же к ней присоединились другие. Стюардесса металась по салону, требуя пристегнуть ремни, пилот в динамик тщетно кричал про «зону турбулентности», казалось, в маленький «Як-40» вместились не два десятка, а сотни дикарей. Закладывало уши от детского плача, воя и от уханья металлической коробчонки в завихряющийся поток.

Вета в своей жизни летала немного, но никогда не боялась, а тут стало жутко. Сок в пластиковом стаканчике не просто болтался, закручивался в воронку. Она вцепилась в поручни и закрыла глаза. Теперь и голова стала кружиться.

«Не в моих правилах приставать, однако соседка-то моя еле жива», – подумал он и тронул Вету за рукав.

– Простите, но я врач и вижу, что вам нехорошо. Откройте глаза и давайте поговорим о чем-нибудь.

Вету вдруг рассмешило это «поговорим о чем-нибудь». О чем? О том, что дома ее ждет «настоящий борщ», что она писала дипломную работу о писательском ремесле по «Золотой розе» Паустовского, сама рассказики сочиняла, а работает секретаршей, или, может быть, о том, что любила один раз в жизни в двенадцать лет?.. Классика: все рассказать о себе попутчику в поезде, а вот про самолет – это уже современный вариант. О чем?

– Вам когда-нибудь было страшно? – спросила она о том, что сейчас было на поверхности сознания.

Да, ему было страшно. Много раз. Последний раз было страшно три дня назад, когда он увидел закованную в металлический аппарат ногу жены, а потом в ординаторской услышал: «Коллега, поймите, хромать она все равно будет, да и пожизненной гарантии мы не даем». Спрашивать, сможет ли она танцевать, было смешно, одна скользкая ступенька похоронила участие в соревнованиях и новое платье, и новый рисунок квикстепа. И, похоже, надо просить больше дежурств в больнице – работу в Доме пионеров ей тоже придется оставить, и своих любимых учеников, и концерты... Ладно, лишь бы ходила.

Он сам не заметил, что все это говорил вслух.

Вета сразу же устыдилась своих переживаний. Слов сочувствия не находилось. Она помолчала, потом невпопад сказала:

– Да, нога – беда. Я три года назад руку ломала в локте – вот тут, – она долго тыкала в рукав, дожидаясь, пока он сфокусирует взгляд, – и то беспомощной была, страшно вспомнить.

Сок в стаканчике прекратил бешеный танец и теперь лишь слегка подрагивал. Стало намного тише, только младенец продолжал заходиться в надрывном крике.

– А мне страшней всего было, когда загорелась соседняя дача, – продолжала Вета. – Мама обезумела, кидала в простыни какие-то вещи, без смысла, что попадалось под руку, связывала в узлы и вытаскивала на улицу. И слышу, как сейчас, как крыша с треском провалилась.

Сосед покачал головой:

–Да, детские воспоминания самые острые. А на вашу дачу огонь не перекинулся?

– Нет, слава богу.

Они замолчали. «О чем-нибудь» поговорить не получалось. Но опять стало страшно. «Больше никогда не буду летать», – вдруг решительно подумала она.

Он представил себе выходные, которые придется проводить дома, перемену всего уклада жизни и понял, что не готов. Не готов – и всё тут. Рядом сидела сероглазая ровесница, он мог протянуть руку, обнять, пригласить за город... А уж потом вернуться домой и наврать про срочный вызов...

Самолет пошел на снижение. Вета вдруг сказала:

– А вот знаете, когда еще было очень страшно. Со мной в институте учился мальчик, слепой от рождения. Читал пальцами, по азбуке Брайля. И вот поехали мы как-то на экскурсию в Загорск. И он с нами. Подошел к собору, гладит его рукой и громко так говорит, как бы ко всем нам обращаясь: «Смотрите, какая красота!»

«А она еще и умная!»

В иллюминаторе уже можно было разглядеть голые подмосковные леса, квадратики распаханных полей, ленты шоссе, точки машин.

Цыганки поправляли съехавшие платки, рылись в потертых сумках, шикали на детей.

Ему еще надо ждать багаж, а у Веты была только сумка.

– Вы врач, вам не привыкать спасать. Спасибо. Мне, правда, было очень страшно. Желаю вашей жене полного выздоровления. До свидания!

Теперь по-настоящему страшно было уже ему самому.

Репетиция вдовства
1987

Она ела прямо со сковородки. Три раза в день. Жаренную на постном масле картошку. Пролежавшие почти месяц в посылочном ящике под столом картофелины сморщились, никак не хотели уступать ножу, а очищенные слегка проминались, как плохо надутые мячики.

Яблок и впрямь была прорва. Они валялись на земле, темнея подгнившими бочками и устилая, как ковром, аккуратно, разве что не циркулем прочерченные границы. Муж, равнодушный ко всему прочему — цветам, грядкам — болезненно любил свои яблони: белил по весне, окапывал, удобрял, а осенью, в урожайные годы раздавал всем вокруг полные пакеты, и до следующего лета не надоедало ему пить чай с яблочным джемом. Вете казалось, что, когда начальник вынес приговор: «На объект!», у мужа только одно и мелькнуло в мозгу: «Яблоки!»

Участок, еще в шестидесятые годы полученный Ветиными родителями, он не любил. Нехотя, по обязанности приезжал на выходные, неловко помогал тестю. «Не повезло мне, – говорил тот, – не золотые руки зять попался – анодированные», норовил в воскресенье уехать пораньше, мол, к вечеру электричка битком набита. Когда родители один за другим умерли, посадил яблони, напихав по совету бывалых садоводов под корни гвоздей и прочих железок, стал бывать на даче чаще, многому научился, почувствовал себя хозяином.

Пока Павлик был маленьким, жил там все лето с бабушкой, они приезжали – руки, оттянутые сумками – продуктов не достать – сын загорелый, веселый бежал им навстречу, и это был самый счастливый момент, наверное, вообще в ее жизни.

В их небольшом садовом товариществе все друг друга знали, все были на виду в переносном, да и в прямом смысле – жизнь просвечивала сквозь сетку рабицу и невысокий штакетник.

Вета уже успела рассказать, что Мишу услали на десять дней в командировку – сдается какой-то важный объект и туда кинули дополнительные силы. А время собирать урожай и закрывать дом на зиму, в воскресенье приедет приятель мужа – увезет.

Она сортировала яблоки, закапывая гнилые в яму, как было велено, монотонное занятие и непривычное одиночество были неожиданно сладостны. Ей все нравилось: желтеющие березы, сыроватый воздух, расцветшие астры, соседский котенок, укативший у нее из-под руки белый налив, обычно раздражавшие голоса – слов не разобрать, а главное – свобода. Как будто эти дни были подарены ей сверх отпущенных и не шли в общий счет.

Мама всегда возмущалась: «У тебя что, мужика нет?!» Конечно, он не оставлял ей тяжелой работы, но все, что по силам, Вета привыкла делать сама. Было легко – муж рядом, всегда за спиной. А теперь ее сковал страх, боязнь ошибиться, пусть в незначащей мелочи, словно отцепили страховочный трос. Как будто придет проверка и, как адмирал, инспектирующий корабль, кто-то станет белоснежным носовым платком проходиться по завернутым на зиму в газету кастрюлям и упакованным в пленку матрасам. Она протопила печку, как делала сотни раз. Но никогда при муже не посмели бы выпрыгнуть на железный лист мерцающие краснотой угольки...

И все равно Вете было хорошо оттого, что можно помолчать, можно кое-как застилать постель, позволить себе есть стоя, прямо около плитки, обжигающую картошку, подцепляя со сковородки самые поджаристые ломтики.

Известно, нет ничего страшнее одиночества, но как оно, оказывается, иногда нужно, если знать, что послезавтра снова обступят тебя привычные заботы и голоса...

Вете захотелось позволить себе что-то необычное, но лишенная практики фантазия не подсказывала никаких безумств. Она села на крылечке и закурила. Сигареты лежали на подоконнике, пачка выцвела на солнце, и название едва угадывалось. Всерьез она не курила – баловалась за компанию. Дым извивался, запах смешивался с разлитой в воздухе легкой гарью – жгли опавшие листья и остатки летней жизни, скоро поселок вымрет до весны.

– Лизавета! Вот это дает, мужа спровадила, а сама в разврат вдарилась!

Она вздрогнула от неожиданности, упавший столбик пепла больно обжег ногу. – Курит, видишь ли. Думаю, пойду гляну, как ты там справляешься. Ночевать-то одной не страшно? А то приходи, белье только возьми.

– Спасибо, тетя Таня, все в порядке, не страшно мне, кого тут бояться...

– Это не скажи, пугать не стану, но лихих людей хватает. Вон, в Шебекине прямо среди бела дня от колодца мотор «Кама» свинтили.

Вете не хотелось поддерживать разговор с маминой подружкой – негласной, никем не избранной и, сколько она помнила, несменяемой председательшей их садового товарищества, отъявленной сплетницей, однако деваться было некуда.

– От таких не убережешься...

– Это правда. Так приходи, если что.

– Спасибо, но я, правда, не боюсь.

Какая все-таки выросла гордячка! А ведь не раз она ее покойнице матери говорила: «Ты чего, Мария, воспитываешь ее как принцессу?! Как она жить будет, о ней подумай. И к имени собачьему приучила. Так и хочется: «Ветка, Ветка, ко мне!». Я-то всегда по-людски – Лизавета, хорошее имя, нежное – Лизанька. А они с отцом только когда ругали – Лиза, а ласково, так по-собачьи. Муж попроще будет, уважительный. Хотя хозяин не ахти. Что Бог дал, то и выросло, на этот год вот – яблоки. А места сколько пропадает, хоть бы ребенку своих огурчиков-помидорчиков, клубнички с грядочки. Мать-то, царство ей небесное, только по вечерам за книжку бралась, а эта прям с утра. И что они в них находят, этого я во всю жизнь не пойму. Тут на те-

левизор времени не найдешъ — кино посмотретъ, а они — читатъ.

Вете вдруг захотелось покрасить дом, обязательно зеленой краской, а балюстраду терраски — белой. И посадить розовый куст. Не так уж трудно приехать по осени его закрыть, а весной — освободить от еловых веток. Делов-то — час на электричке и минут пятнадцать пешком. А еще завести настоящий самовар, говорят, в «Зеленой роще» есть умелец, шишек набрать...

Миша, муж ее, родом из маленького уральского городка, выросший с вечно усталой матерью-одиночкой, попав в их семью, долго привыкал ко всяким салфеточкам, скатертям, красивой сервировке. И она терпеливо, пока не вошло в обиход, не преодолелось безразличие к мелочам, настойчиво внушала ему, что иначе нельзя. А теперь впервые за десять лет позволила себе распуститься.

Вету изумило, что она совершенно не волнуется, как там Павлик, отправленный к приятелю, делает ли уроки и склеил ли наглядное пособие по природоведению. А главное — она не скучала! Вета вдруг поняла, что с мужем они никогда не расставались, а Павлик уезжал на смену в лагерь — так измучивалась от выходных до выходных. В воскресенье можно было вопреки запрету подкараулить, когда они шли в лес, или, прижавшись носом к забору: («Мальчик, мальчик, позови Павла Нелюбина из восьмого отряда») сунуть сквозь щель печенье и горсть ягод. А как без нее шеф проживет целую пятницу, не тревожило – наверняка уйдет пораньше, глядишь, – и других отпустит.

Никогда не была так вкусна картошка с луком, которого она, наконец, наелась от души – нечего волноваться, что будет пахнуть.

Солнце уходило в тучку – неужели завтра ждать дождя? Уже в размывающих контуры предметов сумерках она сняла и сложила гамак, обошла сад. Хотела перевернуть бочки с дождевой водой, чтобы не разорвало зимой, но не хватало сил. «Вот так, а думаешь, все можешь сама!»

Свет горел слабо, можно было различить рисунок спирали в лампочке, но вокруг нее было так же серо, как за окном. Не Москва, хоть и близко, линия электропередачи третьей категории... Наползал ватной полосой туман, отвоевывая все больше пространства. Ничего, раньше жили при свечах. Или вот керосиновая лампа в сарае на полке стоит. Ей по-прежнему хотелось сделать что-нибудь необычное, но фантазия молчала, свет замигал и погас. Вета зажгла всегда бывшую под рукой на такой случай свечку и подошла к висевшему на стене зеркалу.

Подумаешь, тридцать два года... Да, в зеркало ей теперь приходится смотреть чаще, начальник часто повторяет, что как театр начинается с вешалки, так их институт начинается с приемной, где она – хозяйка. А люди едут со всей страны. Работа ей нравилась, хотя пора бы подумать о перспективах. С ее педагогическим дипломом – куда? В школе за три года она дошла до ручки, бежала без оглядки. Так что «пока секретарем, а там посмотрим» в тот момент ее вполне устраивало, а теперь – как в капкан попала. Шеф ее полюбил, оценил, из каких-то хитрых резервов ей по второй ведомости доплачивает: «Не каждый молодой кандидат наук так получает». Да и работа по ней. Недаром она Дева по гороскопу – исполнительная, обстоятельная, все помнит, а домой придет – как ластиком стирает из головы все служебное. Семья!

Лампа над головой не загорелась – вспыхнула! Когда-то здесь на даче, еще девочкой она с восхищением смотрела на электрика, который ловко, как циркач, вскарабкался на столб, цепляясь железными крюками (их непонятно почему называли «кошками») и что-то повернул. «Горит!» – обрадованно закричала она маме, увидев тусклый свет фонаря под круглым железным колпаком. Электрик погрозил ей рукой и будто с неба грозно крикнул: «Горит у пожарных, а у нас светит!»

Зря она кабачки не собрала, неровен час, ночью ливанет, ползай потом между листьев мокрых. Кровать сегодня какая-то жесткая... Пришла бы, что ли, Лизавета, поболтали бы. Хотя о чем с ней говорить — скрытная. В прошлом году Колька Васильев с утра проснулся — воняет какой-то химией, ничего понять не мог. А потом жена пошла в сельпо, мама дорогая! — у них и пахнет! Столбы: были небесно-голубые, яркие, веселые, а между ними сетка, а стали — зеленые... Она так и застыла сама, как столб — кому понадобилось в темноте чужой забор перекрашивать?! Июнь, конечно, ночи светлые, но все равно... Краска была совсем свежая, двух недель не прошло. Кольке тогда едва хватило, от сарайчика осталась, но выделялись красиво, ни у кого на улице таких не было — все зелень, то кусты, то штакетник... Так это и осталось загадкой. А вот она уверена — это Веткиных рук дело, слышала, как она мужу говорила: «Ну надо же, такой забор, вырви глаз, смотреть противно». А от нее только краешек и виден. Но не пойман — не вор. Так что поговорить с ней было бы не о чем. Да, напрасно и приглашала ее. Самой-то не страшно, уж сколько лет как вдова, все одна и одна.

Тетя Таня еще поворочалась, передумала все свои общественные дела и заснула.

Вета задула свечу и уже не показалась себе такой молодой и красивой. Да, внешность у нее заурядная: нос курносенький, глаза серые, ни большие ни маленькие, брови хорошие – дугой, волосы русые прямые – обычные. Стандартный 46-й размер, талия тонкая, ноги, пожалуй, красивые – прямые, стройные, да и руки: пальцы длинные и ногти лодочкой. Смотреть ничего, приятно, но с первого раза не запомнишь – не за что зацепиться. Это она трезво про себя понимала, поэтому все комплименты выслушивала с вежливой улыбкой и, как говорится, делила на шестнадцать.

«Все-таки поразительно, что на Земле миллиарды людей, и все разные. Вот отпечатки пальцев, известное дело, уникальны». Вета открыла ящик комода, достала лупу и стала внимательно рассматривать узор на подушечке. Лупа была мамина, купленная специально, чтобы читать инструкции к лекарствам, которые почему-то печатаются мельчайшим шрифтом. Мама придирчиво изучала их и неизменно возмущалась, что побочные эффекты угробят скорее, чем лекарство болезнь вылечит.

Кладя лупу на место, Вета в очередной раз расстроилась, что так редко вспоминает родителей. Отец умер от скоротечного рака семь лет назад, а мама через два года от нелепой случайности: иголкой проткнула палец, распух, сепсис... Хотя Вета в случайность не верила: просто маме невмоготу стало жить без мужа.

Павлику было пять лет. Он сказал со странным, непонятно к кому обращенным осуждением: «Бабушка нарочно умерла, чтобы ты плакала». А сейчас ей стыдно, что плакала она недолго, больше хлопотала о переустройстве квартиры, где они теперь остались втроем.

Вдруг показалось, что кто-то ходит на крыльце, сердце забилось не в груди — в животе, вспомнились предостережения тети Тани про «лихих людей», но по-настоящему испугаться она не успела, все стихло, наверное, ветер шумел, дело к осени все-таки... Нет, ей не было страшно одной, наоборот, было страшно оттого, что ей так хорошо. Устала? Вроде нет, все нормально. Да, нормально. И про семейную свою жизнь она так бы и сказала: «Нормально».

А о том, что это значит, она, пожалуй, в тот одинокий вечер задумалась впервые...

Репетиция хобби

1995

Теперь она глотала на ночь не прямоугольник, а квадратик. Аккуратная черточка делила снотворное пополам, по ней таблетка легко и ровно разламывалась. Пора было перейти на четвертинку, а то и вовсе перестать травиться, но страх не отпускал. А вдруг он не сдаст первую сессию? Хотя поводов волноваться вроде бы не было: в институте Паше нравилось, особо не прогуливал, друзья появились, на сложности не жаловался. Или вдруг опять, как раньше, начнут призывать студентов – война же в стране, что бы там по телевизору ни говорили...

Политикой Вета не очень интересовалась, только когда происходящее могло коснуться ее семьи. Чеченская война, грянувшая в середине Пашиного выпускного класса, еще как могла коснуться!

Сколько она слышала разговоров о том, как мальчику с младенчества надо иметь две карты в поликлинике: одну для жизни, другую, чтобы в нужный момент от армии отмазать. Но связей таких медицинских не завелось, да и главной заботой было, чтобы рос мальчик здоровеньким. И вообще Вета даже из суеверия побоялась бы приписать сыну несуществующие болезни.

Вот и не спала по ночам полгода. И теперь по нескольку раз просыпается.

Сколько лет они живут в этом доме? Посчитал. Надо же, тридцать пять! Когда получили родители эту квартиру в Черемушках, казалось, она на краю света, хотя вскоре метро открыли, а теперь за их станцией целых шесть до конечной. И сады, и пустыри. Отец счастлив был не только тому, что из коммуналки вырвались, – это больше мама, а что здесь голубям больше будет простора, чем на Покровке. Переложил тяжелую сумку в другую руку: говорят, своя ноша не тянет, но прожорливые они, заразы, да еще вода. И еще одна мысль портила настроение: скоро делать прививку, а вакцина опять подорожала, жена ныть начнет. Хорошо она не интересуется, не знает, что некоторые стали делать не два раза в год, а один. Экономия, конечно, но он боится:

налетит вертячка, позаражают друг друга, и закрутится вся голубятня, как в трансе, – пиши пропало.

Соседа по площадке теперь жена гоняет курить на лестничную клетку – невестка родила, так дым через любые уплотнители вползает в квартиру. Надо бы ему сказать, чтобы спускался на полпролета, нет, лучше, чтобы поднимался – запах всегда идет наверх. Старушка под ними жарит чуть не каждый день рыбу, так Вета погибает от вони. Да, соседу придется сказать. Даже странно, столько лет стенка общая, а, считай, не знакомы. Кроме имен ничего друг о друге не знают. Несколько лет назад стулья и вилки просил – поминки, отца хоронил; тот тихий был, но покрепче – жилистый, а этот рыхловатый. Да ладно, какая разница. Вот жена – противная точно, лицо немножко поросячье и свое «Здрассьте» у лифта как милостыню подает.

Выпустил полетать, закурил. Не мог налюбоваться, как кувыркается белый турман, как наворачивает круги пара курских голубей, а вот бакинский бойный – если прислушаться, – щелкает крыльями в полете. После смерти отца совсем уже решил расстаться с птицами, все-таки он не такой был фанат, как тот. Надоело бороться, письма без конца писать: то доказывать, что голуби заразу не переносят, и справки прикладывать, то бодаться с пожарниками или прочими чиновниками за свои несчастные три квадратных метра. Он уже и в общество вступил, в клуб голубеводов... Ах, душа радуется: надо же, как поднялись, уже на точке мерцания. Скоро вернутся.

Как в той притче: если тесно, возьми в дом верблюда, козу и осла, а когда от них избавишься, просторно будет... Пашины репетиторы, выпускные экзамены, вступительные — наверное, она перестраховалась. И институт настояла выбрать не самый престижный, с умеренным конкурсом. Впрочем, она не обольщалась: способности у сына и были умеренные. И мечты никакой. Зато страхов у Веты было хоть отбавляй. Главный — армия, мальчишек в Грозном за что положили? А Паша — ценный кадр — разряд по борьбе.

Армии и раньше боялись. Но теперь новый страх возник. Все в мелкую коммерцию кинулись: ларьки, киоски, просто подземные переходы. Самое модное слово — бизнес. Говорят, деньги большие крутятся. И все новые конторы открываются. У одной на работе дочка в прошлом году школу закончила, в институт не поступила, пошла в такую секретаршей. Уж эту-то работу Вета вдоль и поперек знает, чего она умеет, малявка?! Чай-кофе подать? Правда, от юбки один намек, а ноги огого. Так зарплата не папина, не мамина, и даже не обе вместе. И что возразишь? Что через пять лет новые девчонки повырастают? Это для них не аргумент.

Звонок в дверь. Надо же, сосед! Только думала про курение поговорить – сам идет:

– Извините, пожалуйста, нет ли банки трехлитровой взаймы?

Стоит с авоськой в руке, в ней коробка обувная, пакеты. В куртке, шапку вязаную «петушок» снял, не знает, куда деть. Смущен.

– Заходите, кажется, есть. Посмотрю сейчас.

Вета знала: в шкафчике есть банка, но ей было неприятно, что она плохо отмыта – наверняка чесноком от нее несет. А сосед прямо как прочитал ее мысли:

– Да мне любую. Или хоть парочку литровых. Представляете, уже пора идти, я и так провозился, наливаю воду – а у меня бидон потек. Хорошо не на пол – в раковину.

Вете привиделось, как противная жена тряпкой собирает воду с пола и ворчит, ворчит... Она понюхала банку и протянула соседу:

– Ничего, что она из-под помидоров маринованных?

Сосед покачал головой:

– Была бы грязная – страшно, а вот обоняние у них точно есть.

– У кого «у них»? – спросила Вета автоматически.

Сосед оторопел:

— Как это «у кого»? У голубей, конечно.

Ему казалось, что он местная достопримечательность – и на тебе! Соседка по площадке слыхом не слыхивала, что через двор настоящая голубятня, по всем правилам оборудованная.

Живем в своих сотах, ничего друг о друге не знаем. Хотя голубятники – сплоченный народ. Вон у Николая в прошлом году десяток птиц накрыло грозовым облаком – ни один голубь не вернулся домой, так все поделились с ним, оторвали от сердца питомцев. Да и просо покупают оптом: целыми КамАЗами, выходит корм гораздо дешевле.

Пока отмывала банку, отбивала запах кофейным осадком, сосед так и топтался в коридоре, отказался войти, только все благодарил и приглашал посмотреть своих красавцев, смущенно хвастался, что на днях появился у него новый жилец — голубь-космач («Представляете себе, лапы у него, как тарелка, сантиметров пятнадцать в диаметре!»).

Всплыло из глубин семинара по древнерусской литературе. «Повесть временных лет». Киевская княгиня Ольга приказала каждому жителю осажденного города Коростеня заплатить дань: «от каждого двора по три голубя да по три воробья». А к лапкам птичьим дружинники ее привязали трут и подожгли.

Когда голубей выпустили, они полетели к своим домам. И город был сожжен дотла.

Наполнила банку водой, хотела было рассказать про княгиню Ольгу, но почувствовала неуместность порыва — сосед заторопился и все благодарил-приглашал...

Ну, пришел, здравствуйте, родимые!

Какие же все они разные, у каждого свой характер. Некоторые сами идут в руки, а другие близко не подпустят. В журнале читал, что где-то за границей провели эксперимент: два человека в разной одежде кормили голубей. Один вел себя спокойно, а другой все время отгонял птиц от корма. Потом они поменялись одеждой и вести стали себя противоположным образом. И что вы думаете? Птицы по-прежнему обходили стороной того, кто поначалу их прогонял. Получается, они в лицо их узнали, что ли? А мы себя числим единственными разумными существами...

Вопрос, который стал мучить Вету не так давно: «На что уходит единственная жизнь?» Раньше ответ был очевиден с точки зрения глобальной эволюции — «На детей». И как-то не возникало дополнительных вопрошаний: «А для чего жить, когда они вырастут?», потому что был наготове ответ: «Для внуков». Но с некоторых пор биологический подход перестал ее устраивать. Хорошо мужу — он толстокожий, такие материи его не интересуют. Придет – расскажу про голубятню, – вот удивится. Надо будет в следующие выходные пойти посмотреть.

У людей сад, вышивка, бальные танцы. Почему у одних есть силы и время на увлечения, другим не хватает на мытье посуды?

А она, она работой, что ли, увлекается? Вета раздраженно терла и терла тряпкой полку, на которой остался темный след от трехлитровой банки. Вот и она по кругу, по кругу ходит, как лошадь на мельнице, вращает жернова... Ей стало жалко себя, и все накопленное, страхи за Пашу, и то, что она с тупым упорством загоняла внутрь: монотонная работа, тоскливые вечера за телевизором, морщинки у глаз, непрочитанные книги, молчащий за ужином муж, неувиденные страны, – все впечаталось в этот несмываемый круг, теснилось в его безвыходных границах.

И душа рвалась куда-то почтовым голубем, только кроме себя самой некому было адресовать послание...

Репетиция счастья

2001

Ну Надюша и отличилась!.. Подарила дивной красоты серебряную солонку с ложечкой и напутствием «Чтобы еще не один пуд соли вместе съели!» – и это было уместно и мило. Но вот открытка, приложенная к подарку, несказанно Вету изумила. Сколько раз они вместе хихикали, когда кто-то на разных торжествах читал приветственные вирши собственного сочинения или старательно переписывал на поздравления что-то из Пушкина-Лермонтова. А тут вдруг Надюша, в интеллигентном, не в пример Ветиному, дому выросшая, перекатала длинный стих Блока!

И вновь – порывы юных лет,
И взрывы сил, и крайность мнений...

Но счастья не было – и нет.
Хоть в этом больше нет сомнений!

Вета аж ахнула, дойдя до этого места, следующих строк не помнила, но надо было встречать новых гостей и пришлось прерваться.

«Ничего себе подарочек на серебряную свадьбу! – думал он, вертя в руках недочитанное послание, с него первых строчек хватило. – Вот дрянь, тоже мне, подруга. Может, дай бог, Вета не успела прочитать, бегает, гостей занимает». Быстро оглянувшись, он сунул кокетливую открытку с рассыпанными по краям блестками в шкаф, под стопку футболок. Уголок предательски торчал, и он, не боясь смять мерзкую картонку, перегнул ее пополам.

Вета щебетала в прихожей, а его настроение было безнадежно испорчено.

Когда Павел решительно заявил родителям, что двадцать пять лет их совместной жизни нельзя не отметить, Вета опешила. Дни рождения – единственное, что в семье праздновалось, и в эти дни выяснялось, что не всех друзей порастеряли, что есть о чем поговорить, что она еще не разучилась печь пироги и что есть повод купить новую кофточку. Дни рождения Миши и Паши падали на лето, поэтому пировали на даче с соседями, а когда Паша стал студентом, туда наезжали его приятели-подружки, а они, старшие, старались у тех же соседей отсидеться. Ребята были хорошие, не буянили, а что музыка гремела – так как без нее, все понимали. Но годовщина свадьбы! У них не было принято помнить об этом сентябрьском дне, никогда никаких букетов и тостов. И тем более удивительно, что сын заговорил об этом. Было это перед его днем рождения. Впервые Паша не стал отмечать его на даче, сказал, что его друзья выросли, стали людьми серьезными, кое-кто даже успел жениться, и пойдут они в Москве в ресторан: «Переросли спать на террасе вповалку, – так он припечатал. – И, кстати, на вашу серебряную свадьбу неплохо бы банкетный зальчик снять». От неожиданности Вета не стала возражать, что, мол, не хочет праздновать, а только вскинулась: «Никакого общепита – только дома!» – «И охота тебе, мать, у плиты стоять, – сын непонимающе поднял брови, – но воля ваша. Только имей в виду – деньги мои, я за лето заработал, так что не жмись. Но об этом еще поговорим».

Да, деньги у него были. Началось еще в институте, курсе на третьем. Мальчик Паша вдруг стал взрослым. Звонил телефон, он уходил в свою комнату и закрывал дверь. Занятия стал прогуливать, но сдавал все в срок. Когда Вета, как он говорил, «возникала», отвечал шуточкой: «Я вам учусь? Учусь». А однажды резко: «Хочешь, чтобы я институт бросил? Нет, тогда не лезь, мне работа важнее». Что за работа, не распространялся, тянул про писание программ по заказам, про какие-то вставки в телефонные аппараты, и она успокаивалась. Не торгует – и слава богу. Почему-то этого она боялась больше всего. Нет, больше всего боялась армии, но неожиданно помог шеф: своими путями достал вожделенные справки.

Он не знал, надо ли это делать. Читал и перечитывал уже немного пожелтевший листок. Перебирал в голове варианты: «Расстроится? Обидится? Умилится? Обрадуется?» Интересно, как все-таки изменилось время! Ни одного слова о деньгах! Сейчас бы с этого начинали... И опять он подумал о сыне. Нет покоя... На кладбище, по дороге к Ветиным родителям, к дальнему угловому участку выросла целая аллея новых могил. Роскошные надгробия, пышные цветники. Туда ходят толпы, как на экскурсии. Молодые ребята лежат – не геройски погибшие, а жизнь отдавшие за металл, в разборках бандитских. И как насмешка: через одну не имена, а клички – Шуруп, Тузик, Кача... Как уважать отцов, которые всю жизнь горбатятся за копейки? Паша говорит, что компьютерные программы пишет и платы в телефоны вставляет, чтобы номер определяли, а ходят какие-то парнишки не компьютерные, темные... А теперь вот квартиру снимать надумал. Так напоминать Вете или нет, о чем они мечтали в 1976 году?

Вета тщательно готовилась к этому дню. Тогда, двадцать пять лет назад было на ней белое платье, но на букете настояла из ромашек – мама специально на клумбе выращивала – и после скромного застолья поехали на «Ракете» на Клязьминское водохранилище. День был красивый, листья только-только начали желтеть. И напали они тогда на огромную поляну лисичек. Видно, вылезли после вчерашнего дождя – даже в этом затоптанном месте устояли. Но собирать поленились – молодые были, глупые. А вот фотография осталась: веселые, дурачатся, а поляна вся в золотистую крапинку от шляпок. И в память о том дне главное блюдо сегодняшнее будет не мясо-рыба, а лисички в сметане. А фотографию на стол поставит.

Про наряд, конечно же, они с Надюшей долго думали. Смотрели модные журналы: «Фаворитка нового сезона – встречная складка, комфортно в носке и при этом изысканно и элегантно». Вета, ненавидевшая таскаться по магазинам, давно завела недорогую, но аккуратную и понятливую портниху, так что дело было в фасоне. Цвет не обсуждался: любимый – голубой, тем более что египетский отпускной загар, так ей шедший, еще окончательно не смылся.

– То, что тебе надо, раз уж хочешь у плиты жариться, – съязвила Надюша, не одобрявшая идею домашнего празднества. – Складка глубокая, чтобы не мешала посуду таскать и к духовке присаживаться. Только не забудь фартук в цвет заказать...

Он в душе страшился этой затеи. Живут себе и живут, не хуже других, и нечего заморачиваться. А про счастье... Если честно, он себе этот вопрос задавал только в первые годы, даже не вопрос – уверен был, что вот оно, есть. В аспирантуру поступил по своей сварочной специальности не куда-нибудь, в Москву. В секции спортивной познакомился с ребятами-студентами, в их компании встретил Вету, стал москвичом, сына родил. Диссертацию, правда, так и не защитил – иначе надо было бы на Урал, в родной цех возвращаться, ведь завод в аспирантуру направлял. Но ничего – без работы не сидит. Квартиру и дачу не пришлось зарабатывать – но ни тесть с тещей, ни тем более жена не попрекали, что, мол, на готовенькое пришел. Вета, конечно, видит этих, в цепях и перстнях золотых, у себя на фирме, но только посмеивается. И он, уральский казара-горыныч, чувствует себя дома спокойно.

Праздновать день в день не удалось – одиннадцатое сентября упало на вторник, так что сговорились на субботу, пятнадцатое. Да, одиннадцатого было бы не до праздника. Все так и прилипли к телевизорам. Как все-таки странно устроен человек: страшно, до озноба было смотреть, как рушатся здания-гиганты, подобных которым нет в Москве, как черный хвост дыма застилает нью-йоркское небо, как, наконец, гибнут люди – десятками, сотнями, тысячами... Но переключая и переключая каналы, вновь и вновь все пересматривали одни и те же страшные кадры. Нет бы скорее уйти на какой-нибудь слезливый сериал. Потому что сегодня там, а завтра...

На скромную их свадьбу тогда прилетела с Урала сестра. Мама осталась с ее двухлетней Милочкой. Пусть, мол, Москву посмотрит, самой не привелось, а я с маленькой посижу. На сестрицу жалко было смотреть: нескладная, в парче нелепой, с завивкой шестимесячной, туфли новые на каблуках жали, и она их все время норовила снять и так и сидела, наступив пяткой на задник. А когда кто-то ее пригласил танцевать, стала, покраснев, впихивать ногу в испанский сапожок. Он успел отвыкнуть от провинциальных ухваток, уральского оканья, мягкого «г» и проглоченных звуков, дернулся от ее «гаманок» вместо «кошелек». Она-то и приволокла анкету эту дурац-

кую. Он готов был со стыда сгореть, но все уже по рюмочке выпили и даже с энтузиазмом взялись писать на бумажках ответы. И почему у него сохранились эти листочки? Так показать Вете или нет?

Все прошло отлично, просто на пятерку. Прав был Паша – нужны праздники! И – надо же – Миша так трогательно сберег их анкетки. Смешные были, молодые. Что нужно для счастья? Она сейчас не знает, а тогда легко, без запинки: «Чтобы не было войны, чтобы росли дети и в семье был мир». Все сбылось? И что там Надюша про счастье из Блока переписала? Пошла в комнату, но открыточки не нашла. Ну и ладно, выпендрилась поди подруга.

Поздно вечером, когда была вымыта посуда, он вытащил открытку и дочитал до конца:

Пройди опасные года.
Тебя подстерегают всюду.
Но если выйдешь цел – тогда
Ты, наконец, поверишь чуду,
И, наконец, увидишь ты,
Что счастья и не надо было,
Что сей несбыточной мечты
И на полжизни не хватило,
Что через край перелилась
Восторга творческого чаша,

Что все уж не мое, а наше,
И с миром утвердилась связь, –
И только с нежною улыбкой
Порою будешь вспоминать
О детской той мечте, о зыбкой,
Что счастием привыкли звать!

Ничего страшного, оказывается, всего лишь о детских мечтах... и сунул обратно под стопку белья.

А Вета найдет открытку через полтора года, когда после скоропостижной смерти мужа придется разбирать его вещи. И несчастье с сыном будет уже стоять у порога...

Репетиция надежды
2004

Первая мысль: бежать отсюда поскорее, пока в этой по-вечернему нарядной толпе не мелькнуло полузабытое лицо бывшей однокурсницы... Но Вета замешкалась, заколебалась, а теперь поздно.

— Лизонька, красавица моя!

И молодая, как ей в первую минуту показалось, ничуть не изменившаяся, нет, похорошевшая с их последнего вечера встречи пять лет назад Олечка Будягина в темно-вишневом шелковом платье на бретельках, с змеящимися жемчугами на загорелой коже, пахнущая тем миром, где шампанское и устрицы, уже обнимала ее, притихшую и вмиг почувствовавшую себя Золушкой среди расфранченных сестер. Нет, Вета строго последовала инструкции: надела выходное платье и украшения как на бал и даже неловко чувствовала себя в ранний час в метро. Ей казалось, что невыспавшиеся, угрюмые утренние пассажиры, едущие на постылую работу, смотрят на нее с осуждением – где-то вчера загуляла, до дома не доехала, ночевала в чужой постели и уж не одна, конечно. А здесь, на площадке перед громоздким дворцом культуры, в разодетой толпе ровно наоборот: ее крепдешин с оборкой терялся среди отливающих золотом и серебром струящихся туалетов, открывающих ухоженные плечи. Кавалеры были в летних светлых костюмах, либо тщательно отглаженных, либо небрежно чуть помятых – элегантные от свежевымытых волос до сияющих глянцем ботинок.

Оля трещала без умолку, здороваясь направо и налево, и торжественно сообщала, кивая на Вету: «Нашего полку прибыло!» – и все улыбались, показывая белоснежные зубы, так широко, будто узнали что-то необыкновенно радостное. Поначалу ей показалось, что вокруг море людей, потом она увидела, что активная группа, непрерывно обнимающая друг друга, не так велика и что много тут таких, как она, явно пришедших впервые и неловко жмущихся к своим патронам.

Наконец все двинулись внутрь, в гулком холле пронзительно прозвенел звонок и открылись двери зала. У входа всем раздавали билеты, громко объявляя при этом, что рассаживаться можно как угодно, но билеты сохранить, так как будет лотерея, где выигрыши распределятся по указанному ряду и месту.

Они устроились в середине, Оля начала что-то объяснять, но тут прозвучал гонг, грянула музыка, члены сообщества повскакали со своих мест и начали бешено аплодировать. На сцену выскочил человек с микрофоном и стал выкрикивать лозунги:

– Приветствуем всех, кто сумел изменить свою жизнь! Урра!

И зал раскатился в ответ.

– Приветствуем всех, кто стоит на пороге перемен! Урра!

Оля толкнула Вету в бок: «Это про тебя», и та послушно вступила в хор.

– Приветствуем радость и счастье!

– Приветствуем свободу и независимость!

– Приветствуем инициативу и самостоятельность!

Обстановка накалялась с каждым выкриком. «Как когда-то на первомайской демонстрации», – подумала Вета.

Зазвучала особенно торжественная музыка.

– Приветствуем президента компании, чья сила духа и необыкновенная личность сплотили нас! Господин Серж Бейль!

На сцену быстрым шагом вышел не человек — ходячая реклама: подтянутый, загорелый, с легкой проседью в волосах, в белоснежном костюме.

— Француз, сразу видно, — с восхищением шептала Оля прямо в ухо Вете, — вот мужик, а?

Подоспела длинноногая переводчица в рискованном мини, и господин Бейль произнес краткую речь, в основном тоже состоящую из выкриков и лозунгов.

— Мы сильная, единая нерушимая команда, объединенная одной общей целью — самим творить свое настоящее и будущее. Сетевой маркетинг за эти годы стал для нас образом жизни. Мы обрели свободу путешествовать по всему миру и находить новых друзей. Это искусство жизни, позволившее каждому раскрыть свои лучшие качества. Мы рады делиться своими достижениями с нашими новыми товарищами. Мы добились больших успехов и хотим распространить радость вокруг нас. Я вас всех люблю!

Вой восторга сотряс стены зала. Президент удалился под овации, а на сцену опять выскочил человек с микрофоном:

— Встаньте, кто хочет жить лучше и лучше! Урра!

— Встаньте, кто хочет дать детям хорошее образование! Урра!

– Встаньте, кто хочет купить новую машину! Урра!

– Встаньте, кто хочет собственный дом! Урра!

Все уже давно стояли, и человек с трудом перекрикивал аплодисменты и общий экстатический вопль.

– Встаньте, кто хочет реализовать все свои мечты! Урра!

Видимо, про исполнение желаний было традиционным апофеозом. У Веты ломило в висках от общего рева, и меньше всего ей хотелось быть его частью. Но бдительная Оля то и дело с каким-то остервенением толкала ее в бок и заглядывала в лицо, блестя глазами с огромными расширенными зрачками, и, вскидывая голову, спрашивала, ожидая ответного восхищения: «Ну как?» А она только делала неопределенный жест, мол, да, здорово...

Он проснулся с ощущением висящей неприятности. Не сразу отдал себе отчет, где угроза. «Ах да, Пашка». Не надо было с ним связываться, не нашего он поля ягода. Сразу же было видно – какой из него компаньон... Но надоели сомнительные личности, бегающие глазки, блатные словечки. А тут – свой, как-никак вместе на картошку, в стройотряд. И вот теперь он отвечает перед всеми, и если Пашка не покроет убытки, с него, с него самого начнут тягать эти деньги. А деньги... Он даже боялся подумать о такой сумме.

Вета все ждала, когда же начнется деловая часть, дурновкусное шоу не просто утомило и раздражило ее, было неловко присутствовать при этом, она невольно шарила глазами по залу: а вдруг тут окажутся знакомые, какой позор! Но стоило вспомнить, что привело ее сюда, и сразу все отступало, все, кроме надежды: вдруг она сможет заработать те деньги, о которых говорила Оля, сможет взять кредит, который та обещала. Кольнуло слева. Опять. Неужели сердце? Еще недоставало этого. Надо собраться. Ее единственный сын в беде. Об остальном сейчас надо забыть. Потом, потом, она выскажет ему все, потом. Но свербило: как он мог связаться с этим делом, какой из него бизнесмен! Что его обманут на первой же сделке, ей было очевидно — но о своих делах он молчал. Пока не пришел серый со словами: «Мама, я погиб». Ее Павлик, который стучал пятками в животе, смешно говорил «невзапно» вместо «внезапно», гонял мяч во дворе, читал стихи на утренниках, катался на санках с горки, плакал из-за тройки по арифметике, провожал до подъезда девочку Катю, а потом целовался с девушкой Леной, поступил в институт, ходил на байдарках, стал взрослым мужиком, пошел работать, снял квартиру, не пил, не курил, ее Пашенька пришел к ней и сказал: «Мама, я погиб».

– А теперь достаньте ваши билеты и слушайте внимательно. Объявляю суперпризы!

Вета очнулась и поспешно полезла в сумочку.

– Новейшая микроволновая печь с грилем – ряд 8 место 12. Урра! Прошу на сцену!

Фотоаппарат, электрочайник, навороченный утюг и пароварка под восхищенно-завистливые возгласы и аплодисменты обрели хозяев. Вета все ждала, когда же начнется деловой разговор, но вместо этого человек с микрофоном объявил перерыв, жеманно кривляясь, и будто каждого по секрету пригласил выпить по бокалу шампанского.

Он уже выкурил третью сигарету натощак, в горле противно свербило, а во рту и вовсе как кошки насрали. Он поймал себя на том, что все чаще говорит грубо, Люська так и ахнула, когда он при ней на днях выматерился. С кем поведешься... Но под окном блестел на солнышке, отливал металликом новый «Форд», а в кармане лежали билеты в Анталию. А вот чистоплюи, вроде Пашки, он даже скрипнул зубами... И если бы только деньги, в конце концов не они первые, можно было бы попробовать перехватить, хотя не такую же сумму. А главное – задействованы официальные структуры, подписаны договоры. И тут он вдруг замер.

Мысль, которую он загонял в угол сознания, то, что страшнее любых разборок со своими, змеей выползла, облив спину липким — тюрьма! Он произнес это вслух, и почему-то одновременно пронзила другая: хорошо, что мать уже два года как на Николо-Архангельском под богатой плитой, под памятником с мраморной вазой, куда он давненько не приносил цветов. Позора хоть не будет, на остальных плевать.

Вета чувствовала, будто ей перелили чью-то кровь и вместе с ней по жилам медленно, преодолевая сопротивление, будто пробивая себе дорогу сквозь препятствия, потекла чужая жизнь.

После мучительного перерыва с ослепительными улыбками и раскланиваниями началась короткая лекция. «Работать в международной компании с новейшими технологиями», «создать свой собственный бизнес в миллиардной индустрии», «сотрудничать с партнерами, известными на мировом рынке», «иметь поддержку профессиональной команды» — все это пролетало мимо сознания, поскольку не могло иметь к ней никакого отношения. Она включилась только когда услышала «премиальные фонды», «получать часть от чистой прибыли», «использовать несколько уникальных способов вознаграждений»... Лектор стал чертить на большой доске хитрую схему. Оля наклонилась к ней:

— Смотри внимательно, это самое главное — бонусная матрица.

Вета безвольно кивнула.

Кружочки все размножались, ветвились, столбики цифр удлинялись и, наконец, уже в самом низу доски, зато самыми крупными, кривоватыми, но печатными буквами появились заветные слова «ДО БЕСКОНЕЧНОСТИ».

— Теперь понимаешь?!

Оля включилась в общую овацию, вдувая Вете в левое ухо:

— Каждые полгода компания распределяет 70 процентов прибыли между акционерами. А начинали многие, как я и ты, с жалкой тысячи долларов!

Вета знала, что Оля уже год как не считает копейки, хорошо одевается, ездит за границу, поэтому не могла не верить, что она реально получила долю этого процента, но решительно не понимала, зачем ее собственная, последняя отложенная тысяча, бережно спрятанная под бельем в платяном шкафу, нужна такой мощной корпорации. А главное — чем, кроме расставания с деньгами, она может заслужить вознаграждение. Она привыкла получать деньги за работу.

— Перерыв на десять минут! Обдумайте все варианты! Тем, кто подпишет контракт сегодня, скидка 10 процентов на вступительный взнос. Еще раз повторяю – предлагаются три продукта: 399, 599 или 1 250 долларов. И помните – в зависимости от первоначального взноса вы получаете доход с каждого консультанта, спонсором которого вы станете.

Вышел на балкон и взял еще одну сигарету. Он лжет сам себе. Его подписи нигде нет. Пашка, Пашка, гордый своей визиткой «генеральный директор», дурак, обведенный вокруг пальца жирным придурком, ставил везде свою закорючку! Он, конечно, мог бы его предостеречь, все-таки сам вовлек в это дело, хотя не маленький, должен был понимать и, в конце концов, ведь до этого момента все шло хорошо. Так что он всего лишь свидетель. Отлегло. А моральные принципы остались там же, где и кодекс строителей коммунизма, который пылился под стеклом в школьном актовом зале. Перед началом ремонта старый сторож Егорыч, кряхтя, вытащил тяжелую раму и, остановясь передохнуть посреди двора, где они играли в ножички, плюнул на нее и опасливо оглянулся...

– Давай отойдем в сторонку, это не для чужих ушей, – Оля потянула Вету к окну. – Ты как? Риска, конечно, никакого, а раз ты говоришь, что нужна крупная сумма, бери по максимуму. Одолжить?

Вете стыдно было признаться, что она не поняла решительно ничего, поэтому, чтобы что-то сказать, она задала вопрос о том, что единственное она запомнила, и то лишь потому, что это были последние слова докладчика:

– А что значит «доход с каждого консультанта, спонсором которого вы станете»?

Оля громко рассмеялась.

– Стало быть, придется тебе объяснять все с самого начала. Смотри, я сегодня привела тебя и уйду, получив на личный счет сто семьдесят долларов. Или двести двадцать. А если ты не будешь дурой и выберешь максимальный вариант, то триста тридцать. А в следующий раз ты приведешь еще кого-нибудь и получишь деньги, и я тоже как твой спонсор.

Он не спал две ночи. Прогнал Люську. Не подходил к телефону. Впервые напился в одиночку. И убедил себя: «Я ни при чем». Позвонил Люське. Улетел в Анталию.

Вета понимала, что после позорного бегства от светлого будущего она никогда не увидит своих однокурсников, не сможет прийти на вечер встреч. Но это ее не слишком заботило. Противно было вспоминать, как она, будто бы в туалет, спустилась на первый этаж и с бьющимся сердцем медленно поползла к выходу, какой тяжелой была стеклянная дверь и долгой дорога до близкого метро. И как она отключила телефон. И как молча смеялась над собой и старой шуткой про бесплатный сыр.

Зато решение созрело. В конце концов, дача – всего лишь предмет роскоши...

Репетиция родства
2006

Чертил-рисовал целый вечер. Попросил: «Тетя Лиза, а нет ли у вас карандашей цветных или фломастеров?» Ее это «тетя Лиза» до белого каления довело за пять дней. Нет, мальчик воспитанный, «спасибо-пожалуйста» да «чем помочь», лампочки везде ввинтил и прокладку в кране поменял, а главное — старается. Он не виноват, что мама его выдрессировала на эту «тетюлизу». И за что сердиться-то? Разве она не Елизавета? Разве ему не тетя? Что это имя ей чужое — они знать не обязаны.

Вета устыдилась своего раздражения. В кои веки делаешь доброе дело — потерпи. Мужнина уральская родня им не докучала просьбами («пришли то-се, у вас в Москве наверняка есть») и приезжали редко, ритуально – показать очередному подросшему младшенькому Красную площадь. Зато на Мишины похороны прилетели: и брат с женой, которую усопший никогда не видел, и сестра с дочкой Милой. И все время говорили о том, как на работе трудно было отпроситься. А еще ходили по квартире босиком и без конца порывались накрутить ей на всю зиму пельменей. В угаре похорон-поминок Вета не очень их запомнила, ей было все равно, вообще все было все равно, так что она потом с трудом вспоминала, чем были заполнены мучительные дни. Хорошо запомнилось только, как, убрав со стола и проводив «чужих», они сели смотреть семейные фотографии, и тут она, наконец, заплакала: блеклая картинка, мальчик и девочка в нескладных шубейках, перепоясанных для тепла, валенки с галошами, сидят на лавочке, ноги свесили, до земли не достают, снег кругом... Миша с сестрой, которая теперь вот с дочкой Милой приехала. А дочка Мила, по семейной традиции, в третьем поколении растит ребенка без отца... И фотографию сына показала: ушастый, Вете показалось, на Мишу похожий мальчик. Вета слезы вытерла и сказала: «Подрастет, пусть приедет-то, Москву посмотрит». И вот подрос, приехал.

Листы, конечно, нужны ватманские, большие. Но где их взять и как потом упаковать, когда полетит домой. Спрашивать станут, а ответить он не сможет, будет путаться во вранье, а правду сказать тоже нельзя. Не поймут, засмеют. Он сам себе отчасти смешон, но это его личное дело, никого не касается. В Москве он ориентируется отлично, особенно в метро, лучше многих местных, которые знают свою ветку да пересадку, как на работу ехать. Месяц из интернета не вылезал, составил себе программу, а тут дверью ошибся – и все полетело в тартарары.

Странное это дело – родство, голос крови. Вот у нее была подруга, всегда представлялась Ветиной сестрой двоюродной. Интересно, что многие говорили – так, мол, похожи, думали – родные. Вета никогда не мечтала о братьях-сестрах, насмотрелась на ссоры да драки, друзья – другое дело. А вот сын – это да. Когда свой, из тебя таинственно возникший, которого ты знаешь с первой секунды и до дрожи помнишь шелк пяточек, теперь годных для сорок третьего размера ботинок, ладонь впитала, хранит тепло маленькой мягкой ручки, – всю эту чувственную память ни с чем не сравнить. Внуки? Будут, наверное. Но далекие. Когда они продали дачу и отдали долги, Паша быстро устроился на какое-то нефтегазовое производство, укатил в Сибирь, как он говорит, на северá. А теперь вот женился — смазливая, свадьбу, говорит, не стали устраивать — на отпуск копят, летом проездом со своих северóв заглянут — познакомится. Вот и внуки, наверное, в Москву будут наведываться только «посмотреть», раз в год...

Он, конечно, имя это слышал, хотя помнил только, что он не то у Блока жену совсем отбил, не то просто роман с ней крутил, и что имя его настоящее было другое. И когда понял, что вместо пушкинской квартиры на Арбате попал в его, Андрея Белого, хотел уже повернуть назад, но тут ласковый голос остановил восхищенным лепетом, что он, мол, сам, без группы пришел, интересуется, а это такая редкость в наши дни среди молодежи. И она рада для него одного провести экскурсию...

Да, внуки. Вета попыталась вообразить, как в ее квартире обоснуется ребенок. Ей почему-то привиделось, как он (мальчик, конечно, маленьких девочек она себе близко не представляла) не бегает, а с грохотом утюжит коридор на трехколесном велосипеде, натыкаясь на стены и оставляя на обоях черные полосы и рваные раны. Ей не бумаги с медальонами было жалко, не ремонта она страшилась — здесь другое. Вета с беспощадной, трезвой и оттого неприятной, постыдной ясностью поняла, что не готова вместить в свою жизнь даже родное существо.

Смешно, экскурсоводша эта все время норовила расспрашивать его – вот любопытная Варвара! Никогда не была на Урале, говорят, красиво... Надо же, из Златоуста, от одного имени с ума можно сойти. Ему почему-то захотелось сбить ее пафос, и он сказал, что этот город занимает первое место на Урале только по одному показателю – количеству осадков, даже в Челябинске – всего-то в сотне километров – на треть меньше выпадает. Но она не унималась: там же где-то рядом граница континентов, можно стоять одной ногой в Европе, другой в Азии. Невероятно! А он, уже почти хамовато: «Спасибо, было очень интересно. А как пройти к Пушкину в квартиру?»

Пришел какой-то замерзший. Вете стало неловко: мальчишка бегает целый день по городу, а она, москвичка, в сущности, никак его не развлекает.

– Слушай, может быть, тебе совет дать, куда еще сходить?

– Спасибо, тетя Лиза, у меня же программа на все дни заранее расписана.

– А сегодня где был?

– В мемориальной квартире Андрея Белого.

Вета так и села. Ей не удалось скрыть не то что изумления – шока. Она сделала вид, что роется в судорожно выдвинутом ящике кухонного шкафчика, и попыталась придать голосу равнодушно-любопытствующее выражение:

– А почему именно там?

– Я давно интересуюсь антропософскими исканиями Белого, – ответил он ровно с таким же выражением, старательно выговаривая слово, впервые услышанное сегодня.

«Она хорошая тетка, и чего я стебусь, как и над музейной этой, – подумал он, но ее потрясение было приятно. – Мама все твердила, что я должен к этой Лизавете «подлизаться», мол, родня в Москве – большое дело». Мама так мечтает, чтобы он вырвался из златоустинского захолустья. Как будто он не мечтает! Но почему они, эти взрослые, так его раздражают? Ведь он сам втихаря подумывал, как бы объехать все обелиски, всю границу «Европа–Азия», а потом альбом с фотографиями сделать. Интернет обшарил – нет такого. Их историк мог бы на эту идею клюнуть, но иметь с ним дело неохота. А когда экскурсоводша восторгалась, такую рожу скорчил – чего там смотреть-то?

Нет, правда, хорошая тетка Лизавета, чаем напоила с тортом, да он еще два куска хлеба умял. А то в животе от голода на всю улицу урчало: ведь сегодняшние обеденные деньги он оставил на Арбате, книгу в музейном киоске купил. Андрей Белый «Линия жизни».

Чаю выпил, ушел в комнату к себе с карандашами цветными. Андрей Белый, видишь ли... А в квартиру Пушкина тоже зашел, но там, говорит, ничего интересного, подлинных вещей практически нет. Вот как так, живет в каком-то уральском Зажопинске, дома одна мать-бухгалтер, а такое. Ее сын, москвич, сын филолога, знает ли и ей самой едва знакомое слово «антропософия»? Она снова и снова, как болячку, расковыривала свое несчастье и опять и опять искала собственную вину. Не сумела воспитать, вот и пришлось откупаться от тюрьмы ценой родительского дома. Мелькнуло: откупиться от судьбы, взять этого мальчика к себе, между прочим, внук двоюродный, пусть бы рос тут, в столице, был бы благодарен, глядишь, опора в старости. Но тут же мысль и погасла.

Он сидел над чистым листом, перебирая цветные карандаши – разномастные, видимо, случайно уцелевшие в доме: круглые и граненые, с толстым грифелем и тонкие, длинные и совсем огрызки. Кому интересны его переживания? Что заносить в график? У того, великого, и духовная жизнь масштабная, и знакомства со знаменито-

стями. А у него? Вот вписать ли туда вчерашнюю девочку в метро, которая так была погружена в свои наушники, что ему остро захотелось подойти, вынуть один из ее аккуратного прозрачного уха и послушать, что ее так захватило. У нее руки очень красивые, пальцы длинные, зато ногти обкусанные. Нервная? Или как накануне отъезда смотрел в конец их улицы, подобно многим другим в их городе круто уходящей вверх, и ровно по ее центру увидел нереально большую и низкую Луну, вычерченную полным оборотом циркуля, почувствовал себя той самой песчинкой мироздания. Да и хватит ли у него запала, терпения?

«Странный все-таки мальчик, намучается с ним мама, – думала Вета, загружая в стиральную машину постельное белье, которое тот перед отъездом снял и аккуратно сложил на краю дивана, – а хорошо, когда можно ходить по дому непричесанной»...

Репетиция собаки
2008

Ее звали Чапа. Отчего-то популярное собачье имя, хотя и не слишком благозвучное. Но не ей судить, у них, собачников, свои представления о прекрасном. У Веты собаки никогда не было, даже в детстве это не входило в список мечтаний, и не изводила она родителей канюченьем «Хочу соба-аку», не таскала со двора бесхозных щенков. Была равнодушна. Больших собак, правда, в отличие от многих, не боялась, соседскую овчарку гладила и чесала за ухом. Но в целом мир домашних зверушек оставался для нее чужой цивилизацией, каким-то избыточным компонентом человечьего житья. Хотя восторги и умиления кошечками-собачками ее не раздражали. Подумаешь, вон у соседа голубятня, а Надюшину сестру цветочные горшки из дома выживают. У всех свои причуды. Себя Вета числила «нормальной» и к этому относилась нейтрально-положительно: ну не дал Бог талантов, зато и не наградил неизлечимыми пороками и страстями. Она обыкновенная, и пусть.

Елизавету в конторе считали скрытной гордячкой. За спиной шушукались о ее комплексах, мол, с высшим образованием, а всю жизнь на низшей ступеньке, хоть и приближена к шефу, а все же – обслуга: чай, кофе, факс, ксерокс... А сейчас, да что сейчас, уже лет десять – не меньше, когда стaновилась она постепенно старше большинства сотрудников (шеф не в счет, известное дело, Юпитеру позволено...), поговаривали, что ее вертящееся кресло пошатывается. Но не вредничала, не демонстрировала, как санитарки или вахтеры, своего положения мелкой властной структуры, не сплетничала. Ирина сама бы не догадалась обратиться к ней с этой просьбой – бухгалтерша подсказала. Оказывается, Елизавета теперь живет одна. Что мужа похоронила, Ирина знала – ходила вся в черном целый год, а что сын уехал куда-то в нефтяную глушь – не слыхала. Без особой надежды, получив уже коллекцию отказов, Ирина пошла в приемную шефа.

Вета ни с кем на работе не дружила, никогда никого не приглашала домой. И не потому, что не было там симпатичных ей людей — из принципа, не хотела осложнять себе жизнь. Но в силу своего центрового положения была в курсе многого. К ней забегали попить кофейку из нового капсульного агрегата, и поболтать она всегда была готова, никогда не ссылалась на срочные дела. О том, что Ирина недавно выдала замуж дочь, которую растила одна, давно разведясь с мужем, Вета знала, видела фотографии свадьбы «в единой цветовой гамме» — вот как, оказывается, теперь принято. Платье невесты — голубое, как и галстук жениха, у свидетельницы — серебристое платье с широким голубым поясом, а на свидетеле — голубая бутоньерка. И на всех гостях было что-то голубое или синее — эта непременная просьба содержалась в голубом с синей каймой приглашении в кафе с обитыми синим бархатом диванами. Вета тогда вспомнила свое неуклюжее, после того ни разу не надеванное поросячье платье, сшитое к Надюшиной, не принесшей ей счастья свадьбе, и свое невестино, по настоянию Миши — белое. Какая тогда была «цветовая гамма»!

Ирина не знала, как начать, а потому взяла с места в карьер: «У меня к вам очень странный разговор, ну очень странный и приватный». Вета напряглась, естественно, не ожидая чего-то личного, а предчувствуя служебную сложность.

Но лицо сделала внимательное и заранее понимающее, готовая «войти в положение». И тут Ирина бабахнула: «Дело в том, что я собираюсь замуж».

Хотя у них, конечно же, был отдел кадров, ныне именуемый отделом по управлению персоналом, чьи сотрудники в просторечии звались иностранным словом эйчары, Вета знала годы рождения и семейное положение всех сотрудников. Сорок четыре года! А что – выглядит неплохо, фигура, вот только кожа тусковата, надо к косметологу. В добрый час! А она, Вета, при чем?

А Ирина, уже выдохнув, пошла в наступление: «Моя судьба теперь, Лизанька, в ваших руках». И совершенно неожиданно для себя расплакалась. Ну не случалось с ней такого давно, разве что от умиления на свадьбе дочкиной. Правда, она частенько утирала слезы у телевизора, когда финал фильма бывал душещипательным. Еще плакала она в прошлом году, когда по ее вине оказались перепутаны подписи под фотографиями в юбилейном буклете. Хотя был же редактор, вообще-то все смотрели, даже шеф, потому и не ругали ее особенно, в конце концов, верстальщик – сотрудник технический. Но обидно было – сама вызвалась, уговорила не отдавать дизайнерской фирме, так старалась... Тогда слезы были понятны, не стыдны. А сейчас...

Добро бы она актерствовала – просто нервы. А главное – она поверила, сама себя мгновенно убедила, что от этой малознакомой, в сущности, женщины зависит ее судьба.

Вета ловким движением достала из верхнего ящика бумажную салфетку. «Еще не хватало, чтобы зашел кто-нибудь, — подумала она, — злые языки разбираться не станут».

Через десять минут картина была ясна. У Ирины двое любимых (дочка не в счет): майор в отставке Иван Иванович и спаниель Чапа. Ее роману с Иваном Ивановичем скоро два года, Чапе — скоро восемь. И теперь вроде бы они с майором склоняются к тому, чтобы соединить свои судьбы. И он пригласил ее провести пять дней в Праге и хорошенько обсудить их будущее. Вета не стала спрашивать, зачем для этого разговора отправляться в путешествие — жизнь отучила ее задавать подобные вопросы. Раньше-то дочка с Чапой оставалась, если Ирина уезжала. А теперь проблема в том, что у зятя аллергия на собак, даже в гости к ней они не могут приходить («Представляете, пеку пироги, жарю мясо и все к ним ношу в контейнерах!»). Не отрывать же дочь от молодого мужа, чтобы пожила с Чапой, да и одежду потом придется стирать-чистить, иначе он весь исчихается.

Ирина уже успокоилась, и теперь на все лады расхваливала свою собачку, показывая одну за другой припасенные фотографии: вот Чапа двухмесячный щенок – такую ее взяла, вот она у друзей на даче вылезает из речки и отряхивается – по всему снимку разлетелись точечки брызг, а вот зимой барахтается в глубоком снегу.

Вета о своем филологическом прошлом старалась не вспоминать. Больной вопрос. Но часто в сложных ситуациях ловила себя на том, что вместо нужных, убедительных слов на ум приходят, казалось бы, давно и прочно забытые казусы изящной словесности. «А вы знаете, Ирина, какой породы была Муму?» – невпопад, только чтобы оттянуть ответ, спросила она. Та, конечно, не знала и стала перебирать: болонка? шпиц? такса? нет, все-таки дворняга?.. «Это был спаниель, "собака испанской породы", как сказано у Тургенева, как раз черно-белый, – любимый вопрос на школьных викторинах», – торжественно изрекла Вета, и вопрос был решен.

По счастью, жила Ирина недалеко, после работы отправились к ней. Чапа выскочила к двери со всеми положенными изъявлениями собачьей преданности, Вету настороженно обнюхала, но не протестовала, когда после чая Ирина, провожая до метро и заодно прогуливая Чапу, передала ей поводок.

«Вот теперь понимаю, почему шеф так ей доверяет, — размышляла Ирина, выгуливая Чапу перед работой, — пресловутая гиперответственность». Уже неделю каждый вечер после работы Вета ехала не домой, а вместе с Ириной – вывести Чапу. Собачка уже признала ее, радостно кидалась навстречу.

До отъезда оставалось два часа. Все инструкции уже были даны и старательно, педантично, по пунктам Ветой записаны. «Дала бы она мне спокойно собраться, — с раздражением подумала Ирина, тотчас устыдившись собственной неблагодарности, — видишь ли, грустить будет собака, как только я с чемоданом уйду. Могла бы к вечеру приехать. Я и так боюсь что-нибудь забыть, а она с дурацкими вопросами лезет: мол, если душ принимаю, дверь закрывать или Чапа скулить будет?

Посидели на дорожку. И Чапа по команде «Сидеть!» секунд двадцать выдержала. Вета пошла на кухню, поставила чайник. Дело к вечеру. Она бы уже не выходила на улицу, но собака... А завтра воскресенье, но понежиться в постели не получится — Чапа привыкла гулять рано. Бедная Ирина так стеснялась, не знала, как начать, десять раз извинилась, потом с присказкой «только честно, если вам это неприятно, скажите, я ее за это время отучу» призналась: «Вообще-то она спит только со мной, в ногах, но, бывает, и под бочок приползает, особенно если холодно». Вета засмеялась: «Да ладно, вытерплю, не будем ей стресс устраивать».

Объявили посадку. Ирину слегка знобило от радостного возбуждения. Сейчас все казалось реальным – даже счастье. И вдруг кольнуло: «А Чапа Иван Ивановича не очень-то любит». Вете она этого, конечно, не сказала, но, когда он после отъезда дочери стал иногда оставаться ночевать, Чапу приходилось отправлять в ссылку в соседнюю комнату и полчаса «выдерживать характер». Это он с военной жесткостью сформулировал, а у Ирины сердце разрывалось, пока безвинная собаченция не замолкала, отчаявшись жалобным повизгиваньем добиться водворения на законное место.

Вета уже ничему не удивлялась, вошла в тонкости собачьих проблем. А ведь когда в первый день они с Ириной заглянули в зоомагазин, она остолбенела, увидев большое объявление: «Распродажа зимней одежды». «Ну да, – не поняв ее изумления, объяснила Ирина, – кто же весной будет покупать собаке теплый комбинезон и сапожки». И только перед первой прогулкой, когда Чапа привычно протянула переднюю лапу навстречу похожей на детскую пинетку обувке, Вета поняла, насколько она чужая в этом мире.

...Как непохож был этот выходной на ее обычные воскресенья! И не только потому, что не дома. Похоже на тот давний-давний день (сколько же лет прошло, сын был еще маленький!), когда впервые одна, без мужа, усланного в командировку, поехала закрывать на зиму дачу. Она тогда так сильно ощутила соблазн свободы, так ей было хорошо и спокойно в невольном одиночестве, что это воспоминание обожгло ее у Мишиного гроба спустя семь лет. И стыд никуда и сейчас не ушел. То была репетиция нынешнего вдовства. А может быть, умиление от того, с какой преданностью Чапа оглянулась на нее у лифта – знак, что ей плохо, когда никого нет рядом?..

К вечеру Вета совсем расклеилась. Ирина прислала эсэмэску: «Мы отл. А вы?» Она ответила: «Мы тоже отл», хотя на душе было скверно. Ирина, проводя экскурсию по квартире, среди прочего показала на огромный глобус на красивой подставке: «Дурацкий подарок: дочь получила на свадьбу, теперь вот тут стоит. Зато внутри – не догадаетесь – кое-что весьма ценное. Пользуйтесь!» Земной шар раскрылся, как грецкий орех, и обернулся баром. Вета вполне искренне поблагодарила со словами, что не пьет, тем более в одиночку, но сейчас с удовольствием налила рюмку коньяку.

Смешно сказать, она не то чтобы опьянела, но мысли потекли по какому-то странному руслу. Она протянула руку к мобильнику: «Слушай, Надюша, только сразу не отвечай, подумай – мне это очень важно, – начала Вета торжественно, – если я заведу собаку, ты ее заберешь, когда я попаду в больницу или, не дай бог, помру? – и, не давая той ответить, поспешно зачастила: – Не отвечай, подумай!»

Надюша слишком хорошо ее знала, и реакция была точной. Вопрос на вопрос: «Ветка, ты чего, выпила, что ли?» – «Почти что нет», – честно ответила она и налила вторую рюмку.

Чапа уютно устроилась на ковре около ее кресла. В голове немного шумело. Разве она одинока? А сын? – Вета вздрогнула. – Господи, ведь через три месяца у нее родится внук! А она о собаке!.. Она было устыдилась, но тут же с трезвой горечью одернула себя: в ее жизни это ничего не изменит. Будет посылать на Север красивые игрушки и получать в ответ фотографии, для которых заведет в компьютере особую папку. И все! Она никому не нужна!

Вета встала, чтобы взять с дивана плед – зазнобило. Задела ногой Чапу, та недовольно заворчала. «Как интересно: *она никому не нужна* означает одновременно, что в ней никто не нуждается и что до нее никому нет дела. И неизвестно, что страшнее».

«Все-таки от каких случайностей зависит жизнь, – думала Ирина, прислушиваясь к еще непривычному жужжанию электробритвы из ванной, – ведь она хотела предложить бухгалтерше, матери-одиночке, подработку, не сообразив, что той не с кем будет оставить дочку. Конечно, всей правды она не сказала, приврала, что подвернулась горящая путевка в Прагу. Получила ценнейший совет – пойти к секретарше шефа. Но почему вдруг Елизавете не просто открылась – разревелась?» Жужжанье стихло. Все ерунда. Одно важно: она опять, как двадцать четыре года назад, – звучит-то как – невеста!

Ирина звонила из «златой Праги» каждый вечер. Замучила вопросами, что привезти. Рассыпалась в благодарностях. Завалила сувенирами. Пригласила на свадьбу.

Подлая псина разрывалась от счастья, даже маленькую лужу пустила у порога, наскакивая на Ирину и не давая войти в дом.

Вета долго выслушивала рассказы, улыбалась, скромно кивала, отмахивалась от громких слов, какое благое дело она сделала и как оно зачтется ей в день Страшного суда. Вежливо расспрашивала о поездке, о планах.

Но вопроса, который рвался наружу, Вета так и не задала. Потому что прекрасно понимала, почему именно ее попросила Ирина, только не хотела себе в этом признаться. На самом деле она боялась услышать очевидный ответ. Просто Ирина, как и все кругом, знала, что *она никому не нужна.*

Репетиция богатства
2009

Тесей, Гектор, Патрокл, Аякс – полузабытое, полудетское, из темно-синей книжки, которую любила перечитывать, но сами мифы не запомнила. А потом, уже на филфаке, когда надо было сдавать античную литературу, выписывала на листе бумаги, чертя генеалогические схемы, не в силах зазубрить всех этих Телемахов, Агамемнонов и Гекуб. Но никак не думала Вета, что на белом свете сегодня живут люди, носящие эти имена. И уж меньше всего могла вообразить, что в один прекрасный день к ней подойдет молодой человек в замызганной спецовке и представится с акцентом, но по-русски: «Перикл», а потом другой – в пластмассовой каске и с ведром в руке: «Ахиллес».

Впрочем, нереальным было не только это. Нереальным было все вокруг.

Когда дошло дело до ремонта, она поняла, что вот на это сил не хватит. Всю бумажную волокиту, переговоры с банком, многостраничные соглашения с риелторами она вынесла терпеливо, предвкушая, как войдет хозяйкой в этот белоснежный дом, поднимется по лестнице на второй этаж, устроится в шезлонге на балконе и будет смотреть, как скатывается в море горящий солнечный диск, как розовеют облака и вдруг, мгновенно, падает южная тьма. Но не тут-то было. При ближайшем рассмотрении дом оказался не таким белоснежным, плитка на полу норовила опасно вскочить из-под ноги, на стенах душа невыносима была химически-розовая краска, техника на кухне работала скверно, а ее гордость – бассейн – и вовсе требовал капитального переоснащения. Муж по обыкновению молча поиграл желваками, втянул носом воздух и сказал: «Надо так надо, пусть тебе посчитают». А на ее нытье, что погибнет, надзирая за ремонтом, ответил как всегда: «Найми кого-нибудь» и отстраняющим жестом показал, что разговор на эту тему завершен. Те же риелторы тщетно убеждали ее, что народ здесь честный и аккуратный, соседи, с которыми она успела познакомиться, красноречиво объясняли, что здесь, на острове, очень дорожат работой и что есть бригада, которая сделала уже не один дом в округе, и уберутся потом идеально, но она понимала, что без догляда все будет не так. Пусть формально, но кто-то должен в доме быть. Она перебрала в голове все варианты, но ничего подходящего не возникло. Надо звонить деду. Только он один не отмахнется, не скажет, что она мается дурью и бесится с жиру. Он поймет, он что-нибудь придумает. И точно: «Посели, вон, мою Елизавету, я ей отпуск дам на пару недель за свой счет и премию выпишу. Она последит, а заодно в море покупается. Плохо мне, конечно, без нее будет, но я вижу, ты совсем что-то до ручки дошла».

Дедушкину многолетнюю доверенную секретаршу она знала – спокойная, исполнительная и даже вроде бы культурная, одевается со вкусом. «Скажу, что вы моя двоюродная сестра, — вдруг увидела увядшую шею и поспешно поправилась, — или тетя, так что смело командуйте». Муж обрадовался, велел денег ей дать на дорогу, мол, не просто на пляже жариться человек будет, а дышать всякой химией.

В Москве уже попытался пойти снег, а тут вовсю розовели и пунцовели бугенвиллии, выскальзывали из-под камней ящерки, песок жаром обдавал ступни, в море хотелось сидеть часами. Удачно вышла замуж внучка шефа — ничего не скажешь! А ведь страшненькая... Не родись красивой — известное дело. Уж есть там счастье или нет его, кроме двоих никто не скажет. Ребенок появился – шеф поначалу гордился – правнук! Торт огромный выставил по этому случаю, фотографию на стол водрузил в рамке нарядной венецианского стекла. А потом, видно, ахнул, что это вроде как намек на его возраст. В один прекрасный день исчезла рамочка... Зять младший не то к трубе нефтяной присосался, не то металлы цветные плавит, но вот дом на этом райском острове не на последние, поди, обустраивает...

А годовалого своего внука Коленьку Вета только на фотографиях да по скайпу видела. Она каждый раз расстраивалась, сердилась на себя, но преодолеть не могла. Столько пережито было с сыном, столько сил понадобилось, чтобы вытащить его в одиночку из беды, что, видно, отпущенное на него иссякло. Она понимала, что материнские чувства должны быть бездонны, что незаметно шесть лет пролетело, что он благодарен и трогателен по отношению к ней... Однако предпочитала оставаться в отдалении, посылать приветы невестке и подарочки Коленьке. Прилететь в гости ей так сложно, и самолет, мол, она стала переносить плохо, часовые пояса, климат – что-то она несла каждый раз нелепое и неубедительное. Однажды вовсе отключила изображение, якобы связь плохая, чтобы сын не увидел ее пристыженного виноватого лица. И сейчас эту поездку она представила как командировку, да, конечно, шеф использует служебное положение, ее отправляя, но отказаться, сам понимаешь, невозможно...

Все-таки экономия экономией, а нервы и покой всего дороже. Хоть не было никакого уговора, Елизавета звонит через день с подробным отчетом: закончили класть плитку перед домом, почистили бассейн, наполнили водой – под солнцем так и сверкает, она велела маркизы помыть из шланга, а то песок осел – правильно ли? Очень хорошо смотрится кафель цвета морской волны в нижней ванной, начали монтировать технику в кухне – она завтрак готовила, плита работает превосходно.

Перед отъездом Вета получила карту с подробным описанием округи: где недорогие кафе, где сувениры купить, на каком пляже вход в воду лучше. Но она исследовала все сама: ей нравилось по вечерам, смешавшись с нарядной толпой, прогуливаться по главной улице, проходить сквозь непрерывную череду лавочек, сменяющие один другой ароматы кофе, жареной рыбы и пряного мяса из аппетитных ресторанчиков, где нелегко было найти свободное место. В этой курортной толчее как-то нелепо было перемещаться одной, и она познакомилась на пляже с пожилой парой из Тюмени, которая с удовольствием составляла ей вечернюю компанию. Весь день она пила кефир и ела дешевые местные фрукты, а потому в ужин могла позволить себе ресторан. Она представилась родственницей хозяйки виллы, новые знакомые осмотрели дом уважительно – их номер в четырехзвездочном отеле как-то сразу померк. При них она отдавала распоряжения почтительно внимавшему Периклу – на супругов это, кажется, произвело впечатление. Вета так вошла в роль, что чуть ли не впервые в жизни перестала считать деньги, и все мечты о новой дубленке отодвинулись, капитулировали перед расслабленной негой жаркого солнца и нереально звездного неба.

Грех жаловаться, настоящей нищеты она никогда не знала, но и лишних денег в доме не бывало. Муж в финансовые вопросы не вникал, отдавал зарплату, что называется, до копейки и, если она хотела посоветоваться насчет семейного бюджета, всегда отшучивался: «Кто у нас министр финансов? Ты. Вот и решай». И только под конец недолгой своей жизни, когда открылись границы, он поднял голос: «А давай-ка подэкономим – и в Европу?!» Съездили они в Европу целых три раза, а еще в Египет. Там она опять полюбила море. А то с детства, с пионерского лагеря в Анапе, когда попала в шторм на катере, боялась воды смертельно. Теперь же готова была целый день барахтаться у кораллового рифа — не могла наглядеться на пестрый танец рыбок — каждую секунду новый блестящий узор, на юркую грацию, плавную игру полупрозрачных гибких хвостов.

На это двух зарплат хватало. Но представить, что она может позволить себе какую-то блажь, роскошь... Вета стеснялась заходить в дорогие магазины, никогда не набирала горы вешалок, чтобы хоть на минутку надеть вещи, которых заведомо не купит. А вот Надюша — хлебом не корми — обожала всякие бутики. «Пойдем, пощупаем, — зазывала она Вету, — а потом где-нибудь кофейку попьем». На зарплату поликлинического окулиста тоже не очень-то разгуляешься, но она умеет держаться королевой, продавщицы вокруг так и вьются...

Но сейчас Вета примеряла и примеряла на себя чужую жизнь, как Надюша не нужные ей вечерние наряды, и неожиданно упивалась актерством. Только раз ей подумалось, какую конфетку она сделала бы из старой дачи при теперешних-то возможностях, не то что раньше, когда простой доски было без блата не достать. Так ей стало жалко потерянного родового гнезда, до слез... И аромат жасмина (если не вырубили, вымахали, наверное, и сплелись кронами), и ее гордость – высоченные лилии, где однажды на стебле насчитали семнадцать сиреневых раструбов, над которыми вечно гудели пчелы, и разросшиеся, как сорняки, так любимые мамой розовые и лиловые люпины... Никогда не позволяла она себе мысли о том, что же там теперь, на месте их скромного домика. Одно знала: эта дача спасла сына от... она даже боялась формулировать, от чего. Можно просто сказать, спасла ему жизнь. Вот и все.

Ну вот, бывает же в жизни везение! Спасибо деду и за это. Молодец он, но начинает сдавать, жалуется, что молодые подпирают. Он, конечно, старость себе обеспечил, но без работы не загнулся бы. А Елизавета его отчиталась, что во дворе уже кусты высаживают, дом снаружи, как она сказала, «белее снега», а внутри такая чистота и красота – «заходить страшно». Надо будет ей передать через деда что-нибудь, посмотреть – на день рождения, как обычно, всякой ерунды надарили: может, отдать гарнитур с бирюзой, сама все равно такой не наденет. Или это слишком роскошно? Хотя за свой покой – не жалко.

Тюменские знакомцы пригласили Вету съездить на такси повыше в горы, там в основном англичане поселились, живут круглый год. Наверху зимой не такая влажность, а летом прохладнее. До моря – десять минут, у всех, конечно, машины, и даже движение здесь привычное для них – левостороннее. Красиво все обустроено, хотя и довольно просто, без того шика, который внизу, у русских бизнесменов и депутатов. У Веты не было знакомых богачей, если не считать тех, которые иногда появлялись у шефа. Она всегда внимательно вглядывалась в них, даже принюхивалась, впрочем, аромат больших денег, которые, зря говорят, не пахнут, тонкой волной немедленно распространялся по ее предбаннику. И меньше всего он был парфюмерным. Скорее, это был запах чистоты, который не достигается простым душем дважды в день, но системой всяких скрабов, пилингов и прочих процедур, свежей одежды, которая не надевается второй раз без чистки-стирки-глажки, блестящей от гуталина обуви, новых кожаных аксессуаров. Казалось бы, несложно было этому подражать, но почему-то мало кому из других слоев это удавалось. Впрочем, бывало. Вета вспомнила девочку-одноклассницу, которая училась с ними не до конца школы, потом переехала – как ее звали? – точно, Лида. Она еще носила в волосах белый обруч. У нее всегда все было как новое: карандаши, точилки, пенал, тетрадки. Топорщился крахмалом пионерский галстук, чернильные пятна не уродовали кружевные манжеты. И все это не было только заслугой чистоплотной мамы: на уроках физкультуры, когда на лавочках в раздевалке громоздились комья второпях сброшенной одежды и валялись друг на друге туфли, ровная стопочка ее формы и «пятки вместе, носки врозь» поставленная обувь выделялись как цветок среди сорняков. И что странно: ее не дразнили, никого это не раздражало, но и зависти не вызывало – подражать ей даже не пытались, было недостижимо. Интересно бы посмотреть на нее сейчас...

В своем курортном безделье Вета попробовала было вырабатывать хорошие привычки: долгая гимнастика по утрам, после душа – крем для тела, неспешный завтрак и долгий тщательный макияж к ужину. Но через три дня ей это наскучило – не выйдет из нее светской львицы... Хотя в Москве каждый воскресный вечер она посвящала приведению себя в порядок. Муж называл это «голова-лицо-руки-ноги», но это как бы входило в служебные обязанности, а не было истинным женским удовольствием.

...На обратном пути ей пришлось торчать два с лишним часа в аэропорту – задержка рейса. Загорелая толпа неуловимо отличалась от той, на море. Движения стали резкими, в глазах пряталось раздражение – мыслями они все уже были дома, в буднях и заботах.

И Вета решила поступить назло всему: принять ожидание как подарок, два лишних и притом последних, самых сладких часа отдыха. Не задумываясь и не считая оставшейся в кошельке валюты, она выпила кофе в одном кафе и съела мороженое в другом, в дьюти-фри купила бирюзового цвета шарфик и долго перебирала всякие сувенирные безделушки, готовая позволить себе любую, на которую упадет глаз. Но так ни на чем и не остановилась.

Московская квартира в первую минуту показалась ей маленькой и убогой. Всяк сверчок знай свой шесток! Сюда бы машину стройматериалов да Перикла с Ахиллесом на пару недель... Но уже через час, готовя омлет на кухне, где могла бы всё делать с закрытыми глазами, она радовалась, что наконец дома.

А бирюзовый шарфик как по заказу подошел к серьгам и кулону, которые через шефа передала ей хозяйка белоснежной виллы.

Репетиция войны

2010

Облегчения не наступало даже ночью. Вета заворачивалась во влажную простыню, но не успевала заснуть, как она уже высыхала от ее горячего тела, и опять пекло, душило. Спасение было на работе – кондиционеры исправно гнали холод и, несмотря на предупреждения о простудах и даже воспалениях легких, все упорно нажимали и нажимали на заветную кнопочку, пока не доходили до самой ледяной струи. А вот в метро и дома, вечером и в выходные был сущий ад. У Веты на антресолях нашелся допотопный вентилятор – хоть какое-то колебание воздуха. Она пыталась отогнать мысли о прохладе увитой плющом дачной террасы, но они и зимой все эти годы ее не отпускали, что уж говорить о жаре.

Хотя, если честно, там сейчас едва ли не хуже, чем в Москве. Уже проходили такое, в семьдесят втором.

Вета вынула из холодильника бутылку воды (велели не пить ледяного, но кто же слушается!), солнце пробивалось сквозь серую мглу, и впереди еще целый вечер. Невыносимо... Она накинула сарафан и опять, как вчера, спустилась на улицу, судорожно глотнула раскаленное марево и нырнула в подвальчик скверной кафешки с непонятным в глубине московских Черемушек именем «Утопия». Всплыло из филологического прошлого, из курса «зарубежки» про Томаса Мора (как раз попался на экзамене): «несбыточная мечта», «место, которого нет» и в то же время «благословенная, идеальная страна». Да, это сейчас было идеальным местом: тихая музыка, а главное – прохлада. С трудом найдя свободный столик, Вета заказала, конечно же, мороженое – в такую жару не располнеешь.

Ковыряя ложечкой клубничный слой, из-под которого проглядывал кофейный, Вета размышляла, как долго прилично сидеть с этой вазочкой, больше ничего не заказывая. Она обожала мороженое, но мама считала его вредным, как все сладкое, а потому дома оно бывало нечасто. Однажды они с отцом (Вета так и не вспомнила, по какому поводу) попали в центр, на улицу Горького. Было ей лет двенадцать, и отец вдруг сказал: «А давай пойдем в кафе-мороженое?» Вета аж подпрыгнула от восторга. И вот подошли они к кафе «Север», а на двери объявление «Закрыто на учет». Вета чуть не расплакалась, а отец пошутил: «Представляешь, мороженое учитывают, учитывают, а оно течет, течет...» и в утешение купил ей эскимо на палочке.

Папа к жаре был привычен – десять лет прожил в Средней Азии, да и потом часто ездил туда в командировки и всегда, даже зимой, привозил перевязанные стеблями тростника дыни, истекавшие соком, когда в них вонзали большой нож с потемневшей деревянной рукояткой.

Вете показалось, что официантка уже покосилась на опустошенную вазочку, проходя мимо, и она заказала кофе с эклером, хотя ей совершенно ни того, ни другого не хотелось. Из командировок папа присылал фототелеграммы – забытый сегодня вид связи. Были они трех, кажется, размеров: узкие полоски, прямоугольники пошире и большие – почти в тетрадный лист. Такую он прислал только однажды, когда Вета получила аттестат зрелости, как раз, кстати, в прошлую жару в семьдесят втором. Отец растрогался, что у него такая взрослая дочь, вот уже школу кончила, и целый напутственный трактат сочинил. Вообще, сложись жизнь по-другому, быть ему гуманитарием, а не инженером-мелиоратором. В отличие от мамы, он Вету от филфака вовсе не отговаривал. Почерк у него был мелкий, странно детский, школьный, как в прописях, только у буквы «д» закорючка смотрела вверх, и строчки ползли вслед за ней.

«Веточка моя, даже уже не веточка, а крепкая ветка нашего фамильного древа! Поздравляю тебя с окончанием школы и получением аттестата зрелости. Знаешь, мы привыкаем к словам, для нас это просто итоговый школьный документ, а если вдуматься в смысл, это же свидетельство о взрослении, о достижении зрелости. Конечно, до этого тебе еще далеко: надо приобрести профессию, а потом замуж выйти за хорошего человека и детишек нарожать нам с мамой на радость – вот это настоящая зрелость. Но, бог даст, будет и это. Слышал по радио, что у вас там жара и засуха, а у нас от дачи до торфяников рукой подать, может, в городе и легче. Но смотри сама, где тебе лучше к вступительным готовиться. Я-то в твоем возрасте был в Ашхабаде. Как в 41-м с отцовским заводом эвакуировались, так и школу там кончал. Только на год отца в Алма-Ату перебрасывали, потом вернулись. И туда МГУ был тоже эвакуирован. Вот я размечтался студентом Московского университета стать. Честно говоря, про факультет даже как-то не думал, название так манило, что учиться стал лучше по всем предметам. А МГУ через год

переехал в Свердловск – жара достала. Так стал я студентом Ашхабадского сельхозинститута. И ничего, как видишь, все хорошо обернулось – уважаемый человек. Жизнь, она умнее нас. Веточка, места на бланке мало, я тебя еще раз поздравляю, занимайся спокойно, пей зеленый чай, от жары помогает. Целую. Папа».

Утром по дороге к метро, хоть и рано, но пекло и мгла, Вета вдруг почувствовала, что чем-то отличается от других прохожих. Господи, на улице бал-маскарад, большинство в белых или голубых масках, но попадаются зеленые, сиреневые и даже розовые. А молоденькие девушки бегут – цок-цок на каблучках – рот прикрывают пестрыми косыночками, а на глазах огромные темные очки.

В метро чуть не задохнулась на пересадке. Как мучительны в духоте даже вроде бы приятные запахи духов. Хоть противогаз надевай! И засмеялась. Вспомнила, как на перемене в учительскую вдруг влетел преподаватель военной подготовки отставной майор Сунгоркин – и к ней, тогда только вышедшей на работу:

– Елизавета Николавна, мне срочно нужны сведения о размерах противогазов вашего и тех, кто с вами будет эвакуироваться!

Она остолбенела. Война?!

А он, словно фокусник, разжал кулак, и в нем оказался сантиметр:

– Прощения прошу, Елизавета Николавна, но обязанность моя измерения произвести. Я аккуратно. Прическу не попорчу.

И тем же ловким цирковым жестом обвил ленту вокруг ее головы.

– Надо же, такая вы миниатюрная, – у него это вышло, как «маникюрная», – а размерчик не нулевой, как я думал, а первый. А уж членов семьи сами измерьте. Я вот вам памятку вручу. И завтра мне доложите.

«Везде валялись трупы, а я-то, господи, мальчишка, только-только в институт поступил. Но все думал: "А каково было моим ровесникам на войне?" В город пригнали солдат целых четыре дивизии, а мы как бы им в помощь, и нам тоже давали стакан спирта каждые три часа. Я уж на что непривычен был – не пьянел. Просто тупел и как машина в полном оцепенении продолжал день и ночь разбирать завалы. Руки тоже мыли спиртом. Тела были распухшие, октябрь, но днем еще жара, противогазов почему-то не было, так солдаты придумали привязывать под нос марлевые мешочки с ванильным порошком, чтобы запах трупный отбивать».

Была глубокая ночь. Вета сидела на полу и под скрипящее жужжание почти бесполезного вентилятора рылась в ящике стола. Она искала ту фототелеграмму, которую помнила почти наизусть, а наткнулась на пачку папиных писем. Он любил писать из командировок и однажды, попав в город своей юности Ашхабад, подробно описал ужас землетрясения. После его смерти мама давала ей читать эти письма, но только теперь, господи, тридцать лет прошло! – она, уже постаревшая, поняла, что отец в сорок восьмом году действительно был мальчишкой.

«Я жил в западной части города, она меньше пострадала, хотя саманные домишки, как карточные, сыпались. Да и новые здания многие рухнули. Было тогда не до смеха, но вот что интересно: одно из немногих в центре зданий уцелевших – общественный туалет у Академии наук. А все потому, что был он абсолютно круглой формы. Это случилось около часа ночи, а я не спал, любил тогда ночами заниматься. И вдруг какой-то гул, люстра зашаталась, со стола все полетело – и вспышка! Что я успел подумать? «Война! Бомбежка!» Я-то их не видел, но все мы еще тогда этим жили, не отошли. Не помню, как на улице оказался, не знаю, зачем выскочил, но тут толчок меня отбросил, и дом рухнул».

Вета в очередной раз пошла в ванную и намочила простыню. Когда еще отец велел пить зеленый чай! Заварила. Сон не шел. Давным-давно, муж был жив, наверное, году в девяностом, когда талоны были на водку и сахар, вдруг выдали им в ЖЭКе тоже талоны на какие-то промтовары. Купила она тогда чайный сервиз – страшненький, да и не очень нужен был, но как не взять! Оставались «не отоваренные» (в словаре надо делать пояснение «устаревшее») на полотенца. И тут у нее украли кошелек. А, может быть, и потеряла, но не так обидно было думать, что украли. И что-то настроение было скверное – она так плакала... Кошелек облезлый, денег в нем три копейки, а вот талоны... Она вдруг почувствовала, что такое в войну потерять хлебные карточки – ужас, о котором столько читала.

«Это потом вспомнили, что тем вечером собаки жалобно выли, коровы мычали и бодали друг друга, куры взлетали на крыши. А аксакалы заметили, что змеи и ящерицы ушли из нор».

Вета почувствовала, что сон таки сморил ее. Аккуратно сложила письма, завернула их в какую-то пестрящую объявлениями рекламную газетенку и крест-накрест заклеила скотчем. Не дозрела она пока до воспоминаний.

Надо же! Даже ящерицы чуют беду. А она, Вета, ни одной беды в своей жизни предвидеть не смогла!

Репетиция тайны

2011

В такие темные предзимние сумерки ей всегда хотелось есть. Особенно вечером, часов в десять. Вета знала это и старалась держать дома именно то, чего непременно, неудержимо, немедленно будет требовать ее желудок. А может быть, голова? А может быть, душа? Набор был стандартный: мороженое, бородинский хлеб, тахинная халва, бананы, докторская колбаса. Она прекрасно понимала странность этой композиции, изумлялась ее неизменности, а больше всего тому, что ни один компонент не принадлежал к числу ее любимых продуктов. Про себя она называла это «ноябрьская трапеза».

Попрощавшись с шефом, Вета стала собирать сумочку и продумывать маршрут. К сожалению, нельзя было купить все это в супермаркете около работы – по дороге мороженое растает, придется шлепать по грязи в свой придворный – дорогой и какой-то неопрятный магазин. Раньше злые языки именовали его «татарским игом» – действительно, и хозяин, и продавцы были татары, задирали цены, пользуясь тем, что поблизости другого продуктового не было. Потом им на смену пришли таджики. Но ничего не изменилось. И тут Вета с тоской вспомнила, что у нее еще одна забота. У Надюши послезавтра день рождения, а она, хоть и давно придумала подарок, так и не дошла до книжного! Надюша на новогодние каникулы собралась в Голландию, тур купила. И пожаловалась, что страшно дорогие путеводители. А она так любит иметь книжечку в кармане, когда гуляет по городам. Да, вправду дорогие, Вета присмотрела парочку, но с собой тогда денег не было. Значит, сегодня до дому она доберется не быстро – оба магазина не отложишь.

Тамаре иногда казалось, что ее и вправду зовут Кристиной. Пестрые серийные корешки с этим именем и искусственной фамилией Кристи, стройно заполнявшие отдельную полку, зазывные обложки с неизменной блондинкой давно перестали ее раздражать, она всего этого не замечала, как не видишь в зеркале с рождения портящей лицо большой родинки. О тщеславии не было и речи: работа она и есть работа. Тем более, что сочинения эти она лепила не одна. Ее конек – диалоги, а всякая там психология, описания и прочие красоты ее не касались. Она относилась к этому легко и даже превратила в своего рода игру — иногда не знала подробностей, только общую канву сюжета, получала конкретную задачу, торопливо и косноязычно изложенную: «Он пришел домой поздно, врал про приятеля (см. стр. 54), у которого сломалась машина (см. стр. 14), а она подозревает, что он был у Кати (см. стр. 33). В итоге они поссорились. Она жалуется по телефону подруге (см. стр. 17)» и т.п. Их «бригадир» — переквалифицировавшаяся в прозаики необъятных размеров поэтесса-песенница — с фантастической ловкостью сводила концы с концами, и получались вот такие томики, которые Тамара то и дело видела раскрытыми в метро. Хотя последнее время бригадирша жаловалась, что сюжеты повторяются, бурчала про «свежую кровь» и намекала, что неплохо бы всем подключиться к придумыванию. Странное дело – Тамару иногда тянуло в книжный магазин. Посмотреть на живых, реальных людей, которые готовы раскрыть кошелек ради ее поделок.

Вета запуталась в рядах одинаковых стеллажей. Ей казалось, что она прекрасно помнила, где маняще теснились Париж, Пекин,

Прага и прочие города мечты, а сейчас не могла этот отдел найти. В очередном узком проходе она наткнулась на женщину, с интересом листающую бульварный роман в мягкой обложке.

– Томка, я тебя застукала! – Единственная однокурсница, с которой они не потерялись за эти годы, хотя встречались редко. – Вот они, твои изысканные вкусы!

Вета! Как некстати! Тамаре совершенно не хотелось раскрывать карты, она всегда говорила, что работает в издательстве, — неохота было нарваться на высокомерное «какой чушью занимаешься». Хотя такое вполне могли сказать ее читательницы – только не готовые в этом признаться. Но перед Ветой нечего было стесняться – секретутка – в ее-то годы. Наоборот, Тамара вдруг загордилась и выложила козыри на стол.

Вот тебе и издательство! Вета просто остолбенела. Все они тогда, на филфаке, что-то пописывали – иначе вроде неприлично считалось. Где-то на антресоли пылится и ее папочка – рассказики из жизни. Но в писатели никто вроде бы не выбился. Ну и пусть дамское рукоделие – людям это нужно. И Вета стала расспрашивать, как это делается.

Они уже пили фруктовый чай в соседней «Шоколаднице», на улице в кромешной тьме завывал ветер, в стекло начали биться первые капли дождя, уходить не хотелось.

– Ветка, это судьба. Я очень в такие совпадения верю. Я в ваши Черемушки редко попадаю, еду дальше, к себе, в Ясенево. А тут мне лекарство надо было купить, звонила-звонила, нашла только в этой аптеке. А рядом книжный. Как не зайти. А тут ты.

Ее осенило еще у стеллажей. Она, конечно, литературный негр. Но это не мешает ей завести рабыню. Ну не умеет она придумывать сюжеты. Неровен час, попросят ее из команды. А Вета еще когда была кладезем житейских баек.

– И сколько еще ты будешь кофе-чай подавать? Попробуй. Значит, так, сюжет судьбы. Лучше всего – он и она. Что-нибудь романтическое, типа встреча через много лет, а потом ретроспектива. Ну чего тебя учить.

Вета вдруг увлеклась: а почему не попробовать? Никто ведь не узнает...

Сюжет нашелся легко. Вспомнила историю своей одноклассницы, потом сами прилепились какие-то подробности... Вета даже удивилась, когда, воровато оглядываясь, не войдет ли кто в ее предбанник, вынула из принтера странички. И еще больше удивилась тому, что ей хочется, чтобы это кто-нибудь увидел. Она несколько раз внимательь но, даже вслух перечитала. И – понравилось. Только с названием не могла определиться. «Остров пухоходцев» – звучит загадочно. Но Тамара строго наказывала: «Будь проще!» – несколько раз повторила. И Вета остановилась на втором варианте – «Руслан и Людмила».

Нельзя было с ней связываться! Серьезная она слишком. Возомнила себя художником слова! Еще спорить стала, мол, как без подробностей, ведь всегда главное кроется в деталях, как это, мол, без экспозиции – и пошла теорию излагать. Еле отвязалась. Пришлось даже приврать, что лавочка, похоже, вот-вот закроется, стали хуже раскупать. Вот характер! Недаром сын на Север сбежал от такой мамаши...

Вета расстроилась, но не сдалась. Когда она добивалась чего-нибудь с таким упорством! Засыпая, она проигрывала сюжеты, в метро вглядывалась в лица, ища своих персонажей, и ждала – ждала выходных, чтобы броситься к компьютеру. Она насиловала себя: писала не как хотелось – полноценный рассказ с деталями и изысканным, как ей казалось, заголовком, а выполняя Тамарин заказ. Она кромсала и кромсала текст, пока не оставался голый скелет, который она называла просто по имени героинь: «Татьяна»,

«Ирина», «Галина», «Белка». Потом все-таки самые дорогие подробности возвращала, иначе было совсем противно. Однако Тамара все отвергала. Вета не сразу поняла, что Тамара каждый раз обрывает разговор и вообще явно потеряла к ней интерес.

Через месяц ей самой было смешно: надо же, сколько сил она вложила в это сочинительство! На что рассчитывала, на что надеялась? И – как отрезало.

Зато теперь у нее появилась тайна.

Репетиция смятения
2013

Когда зазвонил телефон, Вета сначала не хотела снимать трубку — говорить мешала огуречная маска на лице. Но взглянула на номер. Ей ли его не знать! Подошла. Голос шефа, подзабытый за год, звучал натянуто и глухо. Еще бы — открытки к Новому году и 8 Марта — вот все вести за год с бывшей работы.

Надо же: новенькая в декрет намылилась! «Елизавета Николаевна, не выручите?» И она — потом удивлялась небрежности собственного тона: «Спасибо за предложение. Я должна подумать».

Тогда, год назад, невмоготу было оставаться дома, пришлось бесцельно слоняться по улицам. Утром ей кусок в горло не лез, зато через час она проголодалась. Зашла в кафе.

«Интересно, – думала она, – в русле новых веяний уволят ли повариху Настену, много лет кормившую их борщами и котлетами? Раньше это было предметом гордости, а теперь, наверное, новые сотрудники будут есть суши в соседнем заведении». Ей стало жалко шефа, который изо всех тающих сил пытался продлить свой срок, как у моряков – вел борьбу за живучесть тонущего судна. Но пожалеть надо было себя. По дороге остановилась у газетного киоска: новая жизнь, так новая, и купила целую кипу глянцевых журналов. Заказав капучино и огромный кусок торта, она погрузилась в чтение, начав почему-то с конца, с читательских писем, которые обычно презрительно пролистывала.

«Я всегда с интересом читала эту рубрику, но никогда не думала, что когда-нибудь сама обращусь за советом. Но вот так случилось.

Вчера шеф объявил мне об увольнении. Я проработала его референтом двадцать лет. Знали друг друга, как говорится, наизусть. Думаю, что по своей воле он бы так не поступил, уверена, что это молодые замы ему надули в уши, что в приемной нужна длинноногая девочка. А мне пятьдесят восемь, сами понимаете...

Я живу одна. Муж умер пятнадцать лет назад. С дочерью отношения формально-вежливые, с зятем не очень сложилось. Внук маленький часто у меня бывал, а теперь, в тринадцать лет — зачем ему бабушка...

Так вот и получилось, что работа была для меня почти что всем, а выходные — отдых, домашние дела и подготовка к новой рабочей неделе. В отпуск, правда, всегда уезжала — на работе оплачивали часть путевки.

В моем возрасте, сами понимаете, надежды найти работу нет. Да и сил на что-то новое не хватит, кое-какие болячки накоплены. Я экономна, но едва ли смогу жить на пенсию, в конце концов, могу свою двушку поменять на однокомнатную, где-нибудь на окраине с доплатой.

Но чем жить? Через две недели я встану утром — и что?

Наверное, есть какой-то опыт, как с этим справляться, ситуация-то, увы, достаточно типичная».

Вета вздрогнула: стало жутковато, будто сама написала. Потом встряхнулась. Ну-ка, поиграем в «Найди десять отличий». В детстве она страшно любила эти картинки, на первый взгляд — близнецы, а приглядишься — часы на стенке показывают разное время, у одной люстры четыре рожка, у другой — пять, на коврике кошка спит, а на другой картинке старательно умывается — «гостей намывает», как всегда говорила ее мама, да и коврик у двери с бахромой, а на другой —

без. И вот, бывало, найдешь без труда восемь, а то и девять, а вот последнее прячется, как ни напрягай глаза. Рассматриваешь по частям, мысленно деля рисунки на квадраты, — нет. Уже готова успокоить себя: это они, дураки, просчитались на этот раз, различий всего девять, как вдруг — вот же оно! Как можно было сразу не увидеть! В вазе на одной картинке розы, а в другой пионы! Это же первым делом должно было броситься в глаза! Такой вот наглядный урок. Не главное, не очевидное бросается в глаза, наоборот, оно-то и прячется коварно, а лезут в глаза всякие мелочи, застят главное...

Да, а ниже «Психолог советует». Ну-ну, у этих всегда умные советы наготове:

«В нашей жизни очень многое зависит от фильтра восприятия, тех очков, через призму которых мы смотрим на жизнь. У вас сейчас есть два пути: один — связать увольнение с начинающейся старостью, с ее болезнями, осознанием беспомощности, ненужности и отсутствием смысла; другой путь — связать его с открывшейся свободой и возможностями.

Переходный период всегда сложен, и есть несколько правил, которые помогут прожить его. Очень важно сформировать возможные планы на будущее. Нельзя исходить из прошлых стереотипов и привычек, надо придумать что-то принципиально новое.

Также очень важно не ждать и не требовать от себя желания реализовывать хоть один пункт из этого списка, сейчас оно все равно не появится. То, что сейчас кажется тупиком, со временем превратится лишь в развилку дорог. Например, ваш возраст и жизненный опыт позволяют помогать с детьми, пока родители на работе, или начать разводить комнатных собачек, а наличие двухкомнатной квартиры в Москве дает возможность сдавать одну из комнат или вовсе сдать квартиру и уехать куда-нибудь на море. 58 лет — замечательное время, когда ты освобождаешься от социальных и семейных обязательств, но при этом имеешь в запасе достаточно длинный период активной жизни.

И еще одно преимущество возраста – это знание, что, находясь в начальной точке страдания, ты испытываешь ощущение, что тебе никогда с этим не справиться, но проходит время, и, оглядываясь назад, понимаешь, что этот пункт оказался решающим для перемен к лучшему. Так что воспользуйтесь этим преимуществом и смело идите вперед».

Вета улыбнулась. Забавно: она тогда раздражилась, прочитав эти прекраснодушные рекомендации, но страничку-то вырвала и сохранила. Вот она, родимая, в верхнем ящике комода. Так как насчет «*оглядываясь назад, понимаешь, что этот пункт оказался решающим для перемен к лучшему*»?

Легко сказать – «перемены», «развилка». Хотя вот что любопытно: с тех пор как провалилась ее попытка заняться литературным ремеслом, она ни разу к этому не возвращалась и никому, даже Надюше, об этом не рассказывала. Собрала все файлы в папку и, недолго думая, назвала ее «Репетиции судеб». Пусть себе хранится, как та, которая пылится на антресоли, – с ее студенческими опытами.

А вот новый образ жизни сумела организовать. Нет, не станет она его менять.

Огуречная маска высохла и стянула кожу. Вета пошла в ванную. На сушилке висел купальник: «Пропал бы мой дневной абонемент в бассейн».

Вернулась в комнату. Стол завален фотографиями – наконец взялась разбирать семейный архив. Еще звучали «Времена года». Вивальди. А она когда-то играла Чайковского, и учительница ей все твердила, что *«чтение с листа» по-итальянски “a prima vista”, то есть «с первого взгляда», а по-французски “a livre ouvert”, то есть «по раскрытой книге»,* да про то, что жизнь наша, как чтение с листа, играется набело. И что от судьбы, конечно, не спрячешься, но иногда можно отгородиться, укрыться, и лучше всего – за букетом цветов.

Кстати, и в консерваторию после рабочего дня трудно было бы ходить, а она за год пристрастилась... И билет уже купила, наконец, слетать к сыну. Правда, и обратный тоже – через десять дней.

У Вивальди «Зима» странная. Она читала, что он много смыслов вложил в это сочинение, даже сонеты написал к каждой части. И финал намекает на скорую весну. В жизни, конечно, увы, не так. Но что она проходит без репетиций – неправда. Просто одно сбывается, а другое – нет.

КОДА

РЕПЕТИЦИИ СУДЕБ

Руслан и Людмила

Скрюченные угольки спичек уже не помещались в пепельнице, вываливались на подоконник, нарушая его и без того небезупречную белизну. Везде обман! Вот тебе и пять звезд – ремонта не могут сделать. А ведь сезон еще, считай, не начался... Значит, так. Берешь коробок. Ставишь на попа. Две спички втыкаешь в щель. Или три – смотря что загадано. Она всегда вынимала две – он и она, подлиннее и покороче. Поджигаешь. Вспыхивают и горят, горят, начинают обугливаться, двигаться, как живые. Когда огонь подбирается к коробку, задуваешь. Опять, опять она к нему клонится, а он – в сторону. И так без конца. Хоть бы через раз, есть же, говорят, теория вероятностей! Нет, неизменно: она к нему, он от нее...

«Ультрасверхэкстрасильные супермегаэффективные отвороты и привороты», – вчера у бассейна видела в газетенке с объявлениями. Тогда так цветисто не выражались, хотя про бабок-гадалок, конечно же, шептались. Но она не вчитывалась – любовалась внуком. Нырял он лучше всех, даже подростки качали головами, плавал разными стилями, красиво взмахивая руками, и, казалось, не уставал. В такие минуты все представало оправданным: разве дочка одна управилась бы со всеми кружками-секциями? И в гимназию возить она будет. А главное – готовить себя, непрестанно напоминать, что скоро – не успеешь оглянуться – никому не нужна. Это единственное, о чем она позволяла себе думать в будущем времени. Чтобы не грянуло внезапно, не раздавило. О здоровье чего размышлять – что Бог даст. О деньгах – тем более. Но тут она спокойна – швейная машинка прокормит.

Кирюша громко вздохнул во сне, что-то пробормотал, повернулся на другой бок. Еще пара спичек окончила жизнь, оставив мимолетный запах гари. Откуда они в номере? Отель-то для некурящих. Кто-то позаботился о том, чтобы ей было чем заняться в этот вечер. Недавно читала внуку Андерсена «Девочка со спичками», он сам умеет, но сказка на ночь не отменяется. В конце чуть не заплакала от жалости, а Кирюша только вопросы задавал, зачем, мол, продавать спички по одной штуке, почему она чиркала по стене, а не по коробку... Он добрый, но любопытство сильнее сострадания. Сейчас она была как та девочка – пока горела спичка, перед ней успевали промелькнуть видения.

Мать-одиночка, мать матери-одиночки – вот кто она. Теперь бабушка-одиночка – такие бывают? Да, если в семье ни одного мужчины.

* * *

Когда она его в последний раз видела? На пятилетии окончания школы. А на десятилетии не была. Собиралась пойти, даже костюм новый соорудила, договорилась, что подруга с дочкой вечером посидит, но подвернулся выгодный срочный заказ – сшить костюм выходной... А что бы изменилось? Он уже был женат и, как ей рассказывали, демонстрировал всем семейные фотографии – счастливая пара с дочкой, кстати, ровесницей ее Оли.

А что теперь?

А ничего!

Глянула на часы и охнула – половина третьего. Спать, спать...

Но сон не шел. Людмила закрывала глаза и опять видела утреннюю сцену на пляже. Руслан выходил из моря с девочкой на плечах. Девочка махала руками и что-то кричала, оборачиваясь к молодой женщине, которая набирала воду в купальную шапочку. «Вот так, а у него новая жена и ребенок», – мелькнуло в голове. Только потом она удивилась, что мгновенно узнала его, все-таки почти четверть века не видались. Но как можно было не узнать рыжую шевелюру, ярко-голубые глаза! Папа-осетин наградил его этими чертами, как и своей фамилией. Она когда-то примеряла ее к себе – неплохо звучит «Людмила Дударова». Убежать бы, спрятаться, подготовить себя к этой встрече, но Кирюша достраивал огромную крепость, и девочка, спрыгнув на песок, помчалась прямо к ней.

За ужином сели за один столик – дети вместе прибежали из игровой комнаты. Познакомились. Жена Руслана оказалась подтянутой, ухоженной Людмилиной ровесницей, а девочка – их внучкой. Они впервые были в Турции. («Не их уровень», – неприязненно подумала Людмила, вспомнив бессонные ночи и угробленные за шитьем выходные, унизительные пересчитывания денег в коробке из-под «Сливочной помадки», как будто они могли там сами размножиться.) «Дочь с зятем должны были ехать, но в последний момент что-то у них не срослось, а Танюшке было обещано море, мы подумали, плюнули на все дела — и рванули», — объяснил Руслан, уплетая салат. Никакой выпечки, десертов, которыми они с Кирюшей наслаждались, пользуясь благами «все включено», это семейство не признавало, даже девочка не канючила мороженое. «Потому они и в такой форме», — с тоскливой завистью подумала Людмила.

— Представляешь себе, детка, мы с Людочком два года сидели за одной партой! У нас классная была литераторша — посадила всех обязательно мальчик с девочкой, а кого смогла — еще и со смыслом. Мы вот были «Руслан и Людмила», а еще из «Онегина» вместе сидели Татьяна с Евгением, а вот самое смешное: Анютка Базарова и Женька Одинцов, да ты его знаешь — у нас начальник департамента клиентского — так что ты думаешь, их тоже спарила, пусть хоть и перепутаны женский и мужской персонажи, а все ж из «Отцов и детей». Школьные учителя, как правило, сдвинутые.

* * *

Как вместе сидели, он помнит, а вот как рассадили... Сколько раз за эти годы Людмила пыталась понять, с какого момента судьба ее повернулась так, что уже не поправить. И все, оказывается, искала не там. Думала, точка невозврата – когда провалила рисунок в Текстильный институт и вместо мечты, что станет она модельером, пришла прозаическая реальность «технолог швейного производства». Или когда замуж выскочила – взрослой быть захотелось – за эту пьянь перекатную, потому лишь, что первым позвал. И только теперь, сидя на балконе отеля и слушая бухающие звуки дискотеки, такие странные в кромешной черноте южной ночи, она поняла: тогда, в тот весенний день, когда обсыпанный перхотью, в вечных своих полосатых брюках, пузырящихся на коленях, географ по прозвищу Изотерма резким голосом взвыл: «Родина, Дударов, мне ваша болтовня вечная на уроке надоела. Скажу, чтобы вас рассадили, да подальше, в разные углы». И угрозу исполнил. Вот почему, оказывается, она так ненавидела Изотерму этого. Вовсе не за то, что мучил идиотскими контурными картами и каверзными олимпиадными вопросами. Ехидным своим козлиным голоском как занудит:

«А ну-ка, что это за озеро, как оно теперь называется, скажите-ка мне. Слушайте в оба уха. Оно до XIII века имело другое название и по нему проходили важные торгово-транспортные пути. Один из них соединял страны Балтики и Ближнего Востока, а другой имел важное военно-стратегическое значение в годы Великой Отечественной войны».

И вот она все перезабыла, а это помнит: Ладожское озеро, в старину – озеро Нево, по нему шел путь «из варяг в греки», а в ленинградскую блокаду – «дорога жизни».

Но что ей с этого знания, когда она сидит одна на балконе под чужим черным небом в серебряный звездный горошек и хочет закурить, хотя бросила пять лет назад, когда от дочери сбежал муж, и она поняла, что теперь ее здоровье нужно пищавшему в коляске Кирюше...

А тогда их болтовня только-только начала обретать смысл: он сел с ней рядом в автобусе на экскурсии в Абрамцево, один раз почти до самого дома проводил. А в зимние каникулы пригласил на каток в сад Баумана. Правда, еще и другие ребята собирались, но пришли только они с Русланом. В раздевалке он встал на колени и стал учить ее туже завязывать коньки, подтягивая шнурок после каждой дырочки, и его рыжие волосы были так близко от ее лица.

Теперь ей надо было крутить головой, чтобы увидеть его рядом с толстухой Надей, и никакого литературного и человеческого смысла не имело это соседство, как и ее собственное с сереньким, стертым Володей Шапошниковым.

А Изотерма с вечной присказкой «Слушайте в оба уха» опять тянул свои нескончаемые бессмысленные головоломки: «А что это за... остров пухоходцев»?

И что ей та Аляска, когда на два этажа выше с балкона смотрят на море (ее-то номер подешевле, с видом на дорогу) двое, прожившие вместе целую жизнь, как теперь говорят, *состоявшиеся*, может быть, пьют вино, а может быть, уже легли в постель. Вместе...

Людмиле в тот момент наивно, но непреложно казалось, что останься они тогда за одной партой, без всякого сомнения она, она сейчас бы была с ним в том мире, где мужчины и женщины загорелые круглый год, где горные лыжи и *Лазурка*, массажисты и косметологи, из багажника вынимают пакеты «Азбука вкуса», а из бумажника золотые банковские карты. Дело было вовсе не в деньгах — в несправедливости. Самое забавное, что его жена была симпатична Людмиле, она вела себя просто и даже немного смутилась, когда Руслан с гордостью упомянул, что в своей фирме она «старший партнер». А сам он со своим экономическим образованием оказался «в нужное время в нужном месте», теперь в правлении крупного банка.

Спросили о работе и ее. Она с самого утра, с того момента, как прошел первый шок, готовила ответ. Перебирала слова: «конструктор», «модельер» – хоть это и было неправдой (в трудовой книжке значилось «швея-мотористка»), звучало по-советски. Решила – «дизайнер». Дизайнер в сфере рекламы. Врать ей было несложно: словоохотливая заполошная начальница всех держала в курсе общих проблем. От нее же требовалось одно – безукоризненно ровная строчка, иначе при надувании изделие корежилось. А пронумерованные детали ей подбирал мастер, кроили закройщицы, вычисляли и чертили конструкторы, рисовали художники, ткани подбирали технологи. И все они в служебной иерархии стояли выше Людмилы. Зато на ее стороне был относительно свободный график «сделал дело – гуляй смело».

Для пущей важности рассказала она за вечерним чаем, как недавно выполняли они срочный заказ – подарок к юбилею какому-то генералу – надувную межконтинентальную ракету «Тополь-М» в натуральную величину. Украсить сад на даче. И был это секретный заказ, поскольку им доставили подробные чертежи, чтобы все было точь-в-точь. Вот они пыхтели! А еще заказчики спрашивали, не может ли кто из мастериц вышить бисером икону Святой великомученицы Варвары, чтобы прикрепить к какой-нибудь важной детали, поскольку она – небесная покровительница ракетных войск стратегического назначения. Про семейное положение тактично молчали, но она сама выдала домашнюю заготовку, мол, давно вдова. Было это не вполне враньем, поскольку стороной слышала, что пьянство несколько лет назад свело-таки ее бывшего благоверного в могилу. Они сочувственно покачали головами.

Утром так мучительно было встретить их на пляже... Хорошо, что они уехали на три часа на катере кататься, заранее была куплена экскурсия. Людмила тоже на нее облизывалась, но – блажь, и так разорилась на отеле, хоть и бронировала давно, сейчас стало бы куда дороже. На душе было погано, как будто ей протянули конфету, а когда она стала разворачивать фантик, дернули за незаметно привязанную ниточку – и бумажка в руке, а конфетки нету... В голове крутились школьные воспоминания, казалось, давно и надежно упрятанные в пыльный чулан. Вот кому она обязана – это трудовичке. Такая пампушечка, нелепая в своих вечных кудряшках, рюшечках, кружавчиках, но научила всему – и готовить, и вязать, а главное – шить. И както незаметно, играючи. Странно, что у нее не было семьи, – готовая жена и мать. Людмила хотела на выпускном ей подарить цветы, а то физкультурников и трудовиков за учителей не держат, но в последней четверти она исчезла, говорили, не то переехала, не то болеет. И на выпускной не пришла.

Кирюша капризничал, нудил, что его друзья (он говорил «все») еще на неделю остаются, а Людмила радовалась, что завтра они должны уезжать, что Руслан появился только вчера и не испортил поездку целиком. Хотя возвращаться в Москву ей совершенно не хотелось. В будни, когда после работы забирала Кирюшу из детского сада, вечера были им наполнены, а по выходным квартира превращалась в «мертвый дом», она даже оставляла радио включенным, чтобы звучал в ее стенах человеческий голос. Про «Записки из мертвого дома» им литераторша рассказывала, хоть из Достоевского в программе было только «Преступление и наказание». И Людмила на всю жизнь запомнила про «перемену участи». Оказывается, на каторге люди озверевали не только от физических лишений и страданий, но не в меньшей степени от тягучей однообразной жизни. Они могли прямо в остроге совершить новое преступление, только чтобы началось следствие, их куда-то повезли, и пусть потом будет еще хуже — в этот момент все неважно, лишь бы сломать монотонность и бесцветность. Как точно! У нее много раз так бывало, и сейчас опять накатило. Море было тихое, синее, и, хоть она понимала, что это не так, люди под зонтиками казались беспечными и счастливыми. А ее счастье темной точкой проступало на горизонте – катер возвращался с морской прогулки.

Прибежал Кирюша: «Бабушка, смотри!.. – и впервые ее резануло это «бабушка». Боже мой, сорок пять лет, а уже каторжный приговор и никакой перемены участи не просматривается! – Смотри, там строят цирк!»

Чуть дальше, где кончался цивилизованный пляж и на пустой полосе прибрежного песка так приятно было гулять, шлепая босиком по набегающим мелким бурунчикам, стоял автобус и подъемный кран с высоченной мачтой, стрелой нависающей над морем.

– Там вечером будут акробаты, представляешь?

Людмила вспомнила, что видела объявление в холле о «воздушных гимнастах, парящих в лучах прожектора над волнами, словно чайки».

– Пойдем?

Она ненавидела цирк и с внуком никогда там не была, хотела отвертеться и сейчас. Но Кирюша уже переключился:

– Катер вернулся, – и побежал к причалу.

Оказалось, что Руслан тоже цирк терпеть не может, зато жена обожает. Отправили ее с детьми на представление, а сами устроились на лежаке у самой воды «вспоминать детство золотое», как Руслан сформулировал.

– Учителя наши один за другим уходят. Вот литераторша полгода назад от рака желудка умерла.

– Откуда ты знаешь, я вот всех порастеряла, – удивилась Людмила.

– Видишь ли, я несколько лет назад фонд небольшой затеял, наш банк главный учредитель, для помощи престарелым учителям на пенсии. Назвал нехитро – «Последний звонок». Ведь как получается: букеты, слезы умиления, а потом – как отрезало.

– А я на последний звонок хотела трудовичке нашей цветы принести, помнишь, такая пышечка...

– Да, была типа Гретхен, немочка аккуратненькая, хоть и русская.

– Точно, похоже. Думала – никто не догадается ей подарить, а она много чего полезного нам дала, так она неожиданно уволилась...

– А знаешь, почему?

– Понятия не имею.

– Я тоже не так давно узнал. Оказывается, ее географ бросил, вот она посреди учебного года со скандалом ушла.

– Какой географ, наш, обтерханный? Изотерма? Как – бросил?

– О, это целый роман. Представь себе, сама рассказала. Она в доме престарелых доживает, мы ей подбрасываем деньжат, чтобы, там, персоналу сунуть, а тут на Новый год я ее навестил. Торт привез, чай хороший, фрукты, ну, тапочки, даже елочку. Вот она расчувствовалась и все выложила. Послали их в один год квалификацию повышать, точнее, идейный уровень, в вечерний университет марксизма-ленинизма. Вот под этим знаменем у них и началось. Но старый морской волк, видно, задохнулся в вышитых подушечках, не смог переварить кулебяк с капустой и плюшек с корицей.

– Погоди, я от этого обвала информации уже поплыла. Какой морской волк?

Но он продолжал:

– Конечно, мы не только о своих учителях заботимся, но о них – в первую очередь. Директор-то фонда наш Женька Одинцов, а Анюта его как бы дама-патронесса – помогает. А ты про них-то хоть знаешь?

– Про кого? – Людмила уже отупело, автоматически слушала, понимая и не понимая, что она сидит с Русланом, мужчиной своей мечты, своей главной, а что там, единственной, любовью на пустынном пляже, средиземноморские мелкие барашки наползают на песок, в отдалении – музыка, вспышки света и восхищенные вопли – цирк, праздник. О чем он?

– Про нашу семью классную, про Одинцова с Базаровой, которая давно уже тоже Одинцова.

– Нет...

– Ну ты совсем оторвалась от коллектива, Родина, или какая у тебя теперь фамилия.

– Я не меняла, – так же автоматически отозвалась она.

– Так вот. Нюточка Базарова поступила в институт, вскоре выскочила замуж и дочку родила. А на пятилетие окончания школы – ты же была вроде, или нет?

Боже мой, он не помнит...

– Ну, когда классная нам всем велела сесть за парты, как на уроках, была ты?

Она кивнула.

– Одинцов с Базаровой – молодой матерью, еще кормящей, как рядышком опять сели – так и все. Ушла она к нему с дочкой вместе, потом они еще двух парней сделали, теперь вот внуков ждут-не дождутся. Такие получились «Отцы и дети».

Верно говорят: ни одно здание не строится так фундаментально, как воздушный замок. Но и не рушится с таким треском. Руслан что-то говорил о спортивных успехах Одинцова-младшего, об их домике на латвийских озерах, где прорва грибов и ягод, но она не слышала. Глухая ярость клокотала у горла, душила слова, парализовала дыхание. «Рядышком опять сели» — вот оно что! Права она была: Изотерма, проклятый, ее злой гений!

— А я, собственно, из-за географа нашего фонд учредил. Поздно узнал, что он умер, никого близких не было, кончил дни в нищете. Ты спросила, почему морской волк. Да ведь он плавал, или, как моряки велят говорить, «ходил» в кругосветку. А когда на берег по здоровью списали, где-то в порту работал, а потом угодил в школу. Я ему по гроб жизни благодарен. Он мою судьбу определил.

Людмила хотела сказать: «И мою», — но только закашлялась.

— Помнишь, конечно, «Слушайте в оба уха», вопросы его каверзные. А может быть, и ответы. Вот скажи: как первооткрыватели называли Аляску?

Боль отползла, голос вернулся, все уже было безразлично.

— Остров пухоходцев.

— Во, вбил-таки в голову! Так вот мне этот вопросик на олимпиаде попался. Я вспомнил про людей, которые ходили в одежде из каких-то птичьих шкурок с перьями. И если б не тот дополнительный балл, я бы на экономический в МГУ не прошел. И где бы сейчас был??? Так что в память об Изотерме теперь фонд работает. Жаль только, что к нему самому не поспел.

Одинокая фигурка отчаянной гимнастки под крики восторга раскачивалась над морем, как рыбка на гигантской удочке, извиваясь, блестя чешуей.

Хорошо, что лучи прожектора их не достигали и он не мог разглядеть ее лица.

Татьяна

Муж обожал собак и всегда мечтал о немецкой овчарке, а Таня собак смертельно боялась. Но что она могла сказать, когда на две учительские зарплаты – исторички и физкультурника – еле сводили концы с концами, а тут ему предложили пойти на курсы кинологов, и через некоторое время жизнь круто повернулась: у Вовика появился блеск в глазах, деньги в кошельке, шрамы на руках и солидные клиенты, присылавшие за ним шофера на джипе, чтобы везти в загородный коттедж воспитывать их огромных неуправляемых питомцев, рядом с которыми овчарки казались плюшевыми игрушками.

В свои тридцать с хвостиком Татьяна так и осталась беленькой аккуратной отличницей. Заученные в школе и в институте формулы послушно в нужный момент вылетали из ее рта, почти минуя мозг: «слабое звено в цепи империализма», «рабам жилось все хуже и хуже», «война показала гнилость царского режима», «руководящая роль партии»... Иногда посреди урока она вдруг спохватывалась: «Где я?» — и тут же понимала, что все в порядке, впадала вновь в привычную полуспячку и продолжала «объяснение нового материала». Перестройка разрушила ее мир. Политика тут совершенно ни при чем, Таня к ней была равнодушна — новые времена лишили ее профессии. Она оказалась решительно не способна сломать уютно свернувшуюся калачиком в ее сознании картину мира, следить за новыми публикациями, отвечать на каверзные вопросы старшеклассников. Спасение и законный долгий отпуск пришли с рождением дочери.

Вовик разворачивался все шире, стал профессионалом и знаменитостью, дочка росла, было понятно, что в школу Татьяне возврата нет, а есть прямая дорога к собакам.

Как же она их боялась! Вовик готовил почву постепенно. Сначала с презрением рассказывал, что владельцы кане-корса или тервюрена покупают комнатных собачек для жен, а то и для услады тещи, и приходится приучать животных к мирному сосуществованию, чтобы хозяева могли хвастаться гостям, какой, мол, у них уголок Дурова. Потом однажды явочным порядком принес в дом что-то пищавшее и, не глядя ей в глаза, коротко кинул: «На передержку». С того и пошло.

Сейчас-то об этом даже странно вспоминать... Таня выбрала итальянских левреток. Тонкие, грациозные, изящные, они пользовались огромным спросом. Когда она агитировала за эту породу, всегда демонстрировала репродукции картин XVIII века, где левретка непременно крутилась у изогнутой ампирной ножки кресла, и напирала на то, что эта собачка – борзая в миниатюре. Две ее суки, регулярно подвергаясь плановым вязкам, приносили родовитый приплод.

Главный праздник наступал, когда соответственно моменту одетая, вместе с представителем клуба (все должно быть обставлено надлежащим образом) она отвозила подрощенного щенка новым хозяевам. Происходила процедура, неизменно умилявшая состоятельных матрон, – снятие отпечатка с носа, или, профессионально говоря, носового зеркала, аналогичная снятию отпечатков пальцев у людей: рисунок кожаной пуговички не повторяется. Потом пили чай-кофе, и, получив полагающиеся денежки, возвращалась она в свой опустевший дом рассчитывать сроки следующей вязки.

Дочка Анечка собак обожала, как и отец, – больших и страшных. Она не боялась их совершенно. Дрессировала вместе с отцом, а потом показывала на выставках. Очень уж новым русским хотелось иметь собаку с медалями, а когда на ринг выходит девочка-подросток с огромной послушной ей псиной, — это производит хорошее впечатление на арбитров. Училась она, как и отец, не очень, зато зарабатывала неплохо и готовилась к соревнованиям на звание «Лучший юный хэндлер России».

Когда Вовик Таню бросил и ушел к рыжей Жанке, заводчице мастино неаполитано, она даже не слишком огорчилась. Таня понимала, что и так уже счастлива. Ее жизнь опять текла по налаженному руслу и строилась на готовых формулах. У нее было много приятельниц-коллег. И она перетащила самых близких подруг — учительниц географии и химии — в свой клуб. По вечерам телефон звонил без передышки, она пила чай, гладила шерстяную собачью спинку и, прижав трубку плечом к уху, часами общалась с «девочками».

Они-то раньше думали, что болтовня — это фасончик-размерчик («сорок шесть–сорок восемь», как говорил ее бывший Вовик). Они-то думали, что работа — это отчеты, педсоветы, дура-директриса, непослушные дети и их назойливые родители. Они-то думали, что и слов таких нет: постав передних лап, дисквалифицирующий порок — перекус, и самое страшное — ложная щенность...

Ирина

Молодой врач-акушер родильного дома на северо-востоке Москвы Сергей Николаевич Самойлов был сильно раздосадован. «И ты, естественно, не смог отказаться?» — как въявь, слышал он укоризненно-язвительный голос жены. Сергей Николаевич был молод, проработал всего четыре года и совсем недавно сбился со счета принятых им новорожденных. «Раньше, при советской-то власти, чего только не было — профком, какой-то местком, спросить бы у кого-нибудь, что такое местком», — сидя за канцелярским столом в ординаторской, еле дыша от вплывающей в окна нежданной майской духоты, он мрачно рисовал на косо вырванном листочке дурацкие рожицы и почему-то никак не мог начать действовать.

Пантелеича в роддоме знали все. Отставной капитан-танкист, вдовый и бездетный, он практически жил здесь, с готовностью подменяя то дворника, то ночного сторожа, то приболевшего напарника. Рабочим местом его был стул у грузового лифта, которым он распоряжался полновластно, был необычайно галантен с роженицами и строг с молодыми отцами, любил пошутить с медсестрами и обсудить последние политические новости с дежурными врачами. Никто не помнит, чтобы он жаловался на здоровье, и на тебе – прямо у своего стула – шмяк на пол.

От жары Сергей Николаевич вконец расплавился и не мог сосредоточиться. Как нелепо – чтобы констатировать смерть, в роддом пришлось вызывать «Скорую помощь», бюрократы чертовы! А потом санитар дядя Костя отвез своего закадычного друга Пантелеича на каталке в морг. Что-то во всем этом было неловкое, неправильное – да все было не так, даже то, что в их роддомовском морге отродясь взрослый мужик не лежал, просто не могло быть такого!

Тот же дядя Костя ответственно заявил, что никакой родни у покойного не было, кроме двоюродного племянника в Перми, которого тот лет пятнадцать не видел. Милицейские и жэковские формальности взял на себя начальник АХО, а организацию похорон главврач поручил Сергею Николаевичу. По закону подлости заниматься этим надо было сегодня, в субботу — общевыходной день. Мало того, что ночь отдежурил...

Как ни странно, раздраженный, на грани ссоры разговор с женой привел его в чувство, он быстро дозвонился в ритуальную службу, и вполне толковый женский голос разъяснил, что надлежит сделать, и пообещал, что агент приедет в течение двух часов.

В конце концов, Сергей Николаевич сумел найти в этой дурацкой ситуации положительные стороны. Давно надо было разобрать шкаф с бумагами, а времени свободного не выдавалось. Кто-то из медсестер сбегал в палатку, и теперь в холодильнике было вдоволь сока и воды — а что еще надо в жару? Так что когда раздался стук в дверь, он был увлечен выбрасыванием в корзину бесполезных бумаг и, машинально сказав «Войдите», не сразу поднял голову.

— Примите мои соболезнования.

В дверях стояла девушка, как-то не по погоде одетая в темно-синее глухое платье с длинным рукавом.

— Я агент ритуальной службы Ирина Тихонова.

— Как теперь все красиво называется, это то, что раньше было похоронное бюро?

— Да, вероятно.

Теперь он разглядел ее как следует. Трудно было представить себе существо, менее подходящее для организации проводов в последний путь. Во-первых, она была очень молода, во-вторых, от нее веяло здоровьем, в-третьих – она была настоящей красавицей.

Ирина уже заполняла какие-то бесчисленные бланки, попутно задавая уточняющие вопросы.

– Ой-ой-ой, а вот тут у нас будут сложности.

Еще этого недоставало!

– Смотрите, по паспорту отчество покойного Пантелеймонович, а в справке о смерти – Пантелеевич.

– И что же, теперь бедного старика не удастся похоронить?

– Как бы не пришлось справку переделывать, но тогда все затянется, сегодня короткий день, завтра воскресенье – в ЗАГСе выходной.

Она так серьезно морщила лоб, что Сергею Николаевичу захотелось сказать: «Перестаньте, вам не идет».

– Сейчас попробую что-нибудь сделать. Здесь есть телефон?

Дальнейший диалог напоминал шпионский фильм: «Девочки, добрый день, это 0232, у меня тут по буковкам нестыковка, а завтра, сами понимаете, воскресенье, можно принять с отсрочкой?»

В итоге все уладилось: был выбран гроб, какое-то покрывало, пресловутые белые тапочки, сговорено время и место кремации. Солнце теперь стояло высоко и заливало жаром всю комнату.

– Ирина, водички холодненькой хотите? Или сока из холодильника?

– Спасибо, с удовольствием.

– А вы давно так работаете? – Сергей Николаевич поймал себя на том, что не смог произнести название ее профессии.

– Два года.

– Трудная, наверное, работа, столько горя видите.

– Ваши коллеги на «Скорой», я думаю, не меньше.

– Но все-таки у врачей бывают и радости. – Он как-то осмелел, девушка ему нравилась, да и любопытство разбирало. – Извините, а что за цифры вы называли по телефону, если не секрет, конечно.

– Это мой личный номер в компьютере – 0232, а то в Москве знаете, сколько ритуальных агентств, в каждом не один человек работает.

– А зачем так много?

– Все кушать хотят. А потом есть обычные, как наше, есть подороже, а есть элитные.

– А что можно в вашем деле получить за большие деньги, кроме красивого гроба и роскошного катафалка?

— Ой, много всего. Например, бальзамирование на любой срок, посмертная коррекция прижизненных повреждений с использованием новейших достижений некрохирургии, похороны на коммерческих участках лучших, в том числе давно закрытых, кладбищ.

— А зачем бальзамирование надолго?

— Ну, допустим, цыгане. У них, знаете, положено, чтобы вся семья попрощалась с умершим, а родственников сами понимаете, сколько, пока найдут, где они там кочуют, пока приедут...

— Говорят, кладбищенский бизнес очень прибыльный. Вот на кладбище, где похоронен мой отец, в самом центре, куда сходятся все аллеи, была огромная клумба. Так недавно ее срыли и похоронили там целую банду, погибшую в междоусобной разборке.

— Не знаю. Там свои порядки и хитрости, наверное. Хотя рабочие, как выясняется, — дефицит. Но вот недавно был анекдот просто. Хороним на одном старом московском кладбище. Покойный — нестарый человек, семья в горе. И вдруг вылетает на дорожку, прямо на нашу процессию, какой-то человек — оказывается, директор кладбища: «Умоляю, если захотите помянуть прямо здесь, могильщикам ни капли. Иначе рядом еще одна могила будет. Помрет на месте. Я их всех закодировал от пьянства, больших денег стоило. А то совсем работать некому».

Посмеялись. Потом Ирина вынула калькулятор и углубилась в расчеты. Сумма, которую она назвала, с запасом укладывалась в ту, что вынул из сейфа главврач и дал Сергею Николаевичу со словами: «Потом разберемся».

— Смотрите, как интересно: я встречаю тех, кто приходит в этот мир, вы провожаете тех, кто уходит.

— Вообще-то я без пяти минут ваша коллега, учусь в меде. Просто эта работа очень удобная: все мероприятия происходят в первой половине дня, и даже если сопровождать, рано свободна.

— Что значит — сопровождать?

— Ну, например, я во вторник еду вместе с вами, — почему-то она покраснела, — в крематорий, там не вы, а я занимаюсь всеми бумагами и переговорами с администрацией, обеспечиваю, чтобы не пришлось долго ждать, и так далее.

— То есть вы можете с нами поехать? — почему-то он страшно обрадовался.

— Да, конечно, только, — она опять покраснела, — это, естественно, за дополнительную плату.

Он протянул деньги и, пока она заполняла квитанцию, судорожно думал о несовместимых вещах: как пора ехать домой и как не хочется, чтобы Ирина уходила.

Но она ушла, а Сергей Николаевич по плавящемуся асфальту добрел до своего «логана», чуть не обжег руки о раскаленный руль и через двадцать минут открыл дверь квартиры.

– Папа-а, когда мы будем собирать робота из лего?

– А моя мама рассаду приготовила, думала, ты нас на дачу отвезешь, а то вот-вот похолодание обещали...

Кое-как мир в семье был восстановлен: робота собрали, теще пообещал поехать на дачу завтра, жену развлек рассказом про закодированных от пьянства могильщиков.

Ночью Сергей Николаевич никак не мог заснуть, в комнате была духота, подушка, которую он то и дело переворачивал, липла к щеке. И в голову лезли какие-то дурацкие проблемы, которые требовали немедленного решения.

И он решил, что с понедельника начнет ходить в тренажерный зал. И решил, что хватит, в конце концов, просиживать вечера у телевизора – так и жизнь пройдет. И решил, что, если и вправду ко вторнику похолодает, наденет на похороны новую вельветовую куртку – говорят, она ему очень идет...

Галина

Эка невидаль – прошлое, оно у всех есть. А вот у нее было еще и позапрошлое, и поза-позапрошлое, так она сама называла. И не в возрасте дело, подумаешь, пятьдесят восемь, а в том, как судьба сложилась. Из каких кубиков, с какими арочками-башенками. Были три марша Мендельсона и три марша Шопена, и она, трижды вдова, так и мерила жизнь отрезками: от очередного свадебного марша до похоронного. В «последний раз», как Галина говорила, придавая значение окончательности, она овдовела всего год назад, но погоревать толком не успела, заболела гриппом, вызвала врача, бюллетень, а там – коготок увяз – всей птичке пропасть, погнали по кругу: флюорография, гинеколог, маммолог… И в итоге – отхватили кусок груди, а потом месяц на облучение таскалась. В общем, считай, легко отделалась.

Потом на работу вышла, надоело дома сидеть. Недалеко – всего три остановки на метро без пересадки. В час пик, конечно, пока к эскалатору дойдешь, вдоволь в пингвина наиграешься: плотная толпа переваливается, мелко переступая и чуть-чуть продвигаясь вперед с каждым шажочком, ну точно стая пингвинья, только крыльев не хватает. Или у них ласты? А на работе что – бумажки: накладные да счета-фактуры, ноги ни к чему.

Повезло ей с работой. Квалификацию свою по специальности много лет назад потеряла, когда оборотистая подружка создала кооператив и стала откуда-то привозить коробки с диковинной техникой.

– Бросай свое бюро, быстренько, бухучет освоишь на ходу, ты мне нужна как воздух!

Галина растерялась:

– Какой из меня бухгалтер?

– Ты будешь не бухгалтер, а мой заместитель, но вообще-то должность у тебя самая дефицитная и ответственная – «честный сотрудник».

Галина сильно колебалась, странно ей было вдруг превратиться в «купи-продай», а квартиру сделать складом. Но она только что похоронила второго мужа, осталась с восьмилетним сыном, решила попробовать – деньги лишними не будут.

Но главное – надеялась отвлечься. Прийти в себя. Первый брак ее был так, по молодости-глупости, хотя пролети мимо та бетонная плита, худо-бедно скоротали бы век вместе. А вот Мишенька был ее единственной любовью. Прожили они в счастье почти десять лет. Настоящий «еврейский муж», жил при маме, женился поздно, заботливый, тихий, примерный отец, все в дом. И мама его, Ревекка Моисеевна, примирившись с тем, что сын «взял гойку», обожала внука, да и к Галине относилась хорошо. Научила ее вязать как следует, и та распустила, вздохнув, доморощенный свитер, связанный первому мужу еще в период жениховства. К ниткам добавила по блату купленную мохеровую шерсть, получился, как свекровь говорила, растягивая «а», мела-а-а-нж – слово это Галина впервые услышала. Такая вышла красота: английская резинка, реглан, воротник апаш – загляденье. И потом сколько всего навязала – себе шаль и кофточки ажурные, мужу еще два свитера – один, синий с вырезом уголком, он даже считал выходным. А уж когда сын родился, мастерили они ему наряды в четыре спицы и два крючка, в детском саду все от зависти лопались. И готовить свекровь ее научила: мама-то покойница только борщ варить была любительница, а так – сосиски, пельмени, макароны да бычки в томате с вареной картошкой. Надо же было Галине оказаться в еврейской семье: она с детства привыкла считать евреев странными людьми, живущими обособленно и таинственно, да и видела их только издалека. Новый снабженец, про которого шептались все в конторе, не сразу стал оказывать ей знаки внимания. Сблизила их служебная неприятность, в которой оба, по существу, не были виноваты, но их сделали крайними, лишили квартальной премии – связали одной веревочкой. Свекрови понравилось, что не девчонка, не разведенка, вдова – почетное дело, муж на стройке погиб, несчастный случай, бывает, два года с лишним с тех пор прошло – прилично новую семью создавать. Своего покойного мужа, Мишиного отца, Ревекка Моисеевна вспоминала всегда с придыханием, почему-то возводя глаза к потолку, вероятно, обращаясь к небу, где он, по ее понятиям, теперь пребывал: «Он был на большой работе». Про артистов еврейского происхождения она со значением и одобрением говорила: «Он *ex nostris*». Наверняка она была бы поражена, узнав, что изъясняется по-латыни, у кого-то подхваченное выражение «из наших» она считала еврейским, на иврите там или идиш, разницы между которыми не понимала и искренне недоумевала, зачем ее соплеменникам два языка.

А потом один за другим ушли из жизни свекровь и муж. Два гроба за год...

Недавно наволочку выбросила – вся истлела, даже на тряпки не годна, а метка для прачечной держится на клочке железно, намертво пришита. Как Ревекка Моисеевна учила, так Галина всегда и делала: никаких времянок. И клецки кидала в бурно кипящую воду, прямо туда, где бурунчики, и посуду рыбную мыла сначала холодной водой, и обувь зимнюю убирала в ящики, набив газетами и густо смазав гуталином. А главное – сына Вовика подняла, дала высшее образование.

Вчера пришла на работу, а девочки ей говорят:

– Галя, посмотри, у тебя блузка не на ту пуговицу застегнута.

Она ахнула, оглянувшись на дверь, быстро привела кофту в порядок и весь день ходила сама не своя от неотвязного открытия: «А ведь это подкрадывается старость».

В третий раз она вышла замуж из жалости, ну и от одиночества, конечно. К тому времени Вовик уехал с повышением в филиал своей фирмы в Воронеж, там женился, дом с тестем на пару строил, а она в который раз решила строить новую жизнь, но теперь уже, так сказать, одноместную.

И как первый шаг – отпраздновать день рождения, а по-честному, юбилей – полтинник. Наготовила всякого-разного. Понятное дело, компания в основном подобралась женская. Типа «восемь девок один я» – муж подружки. Хорошо посидели. Особенно ей один тост в душу запал:

– Тебе, Галя, все Бог дал: ум, красоту, здоровье, доброту, но главное – характер золотой. Всем возле тебя тепло. Много у тебя было горя, но ты молодец – веселая вдова. Так держать!

Вот так она и будет строить жизнь – веселая вдова! Бассейны всякие – нет, это не для нее. А вот попариться разок в неделю – надо компанию сколотить. И на курсы записаться комнатного цветоводства или бисероплетения. Каждый месяц в парикмахерскую, это железно. И в театр.

Человек, как известно, предполагает, а располагает-то Господь Бог... Планы хороши, а долгие одинокие вечера, бесконечные выходные, никчемушные отпуска... И появился на ее горизонте Вадик. Потом всегда так и говорила – «такой душевный, такой душевный».

И поселился Вадим у Галины, и сыграли они скромную свадьбу. Третий ее марш Мендельсона. И все ее планы начали осуществляться, только с поправкой, что в компании не с подружками, а с законным мужем. Но она-то знала, что такое любовь, ее не проведешь. И когда девочки говорили про Вадика «твой», она неизменно поправляла:

– Он не мой, мой в могиле.

Хотя свитера Мишенькины распустила и Вадиму навязала жилеток да пуловеров.

Да не успел он их сносить... Упал прямо на кухне. Тромб.

А она теперь уже не веселая вдова, а инвалид второй группы. Но жить-то хочется! Вчера в метро вдруг подошла к киоску и купила билет в театр. Один. Нет настроения кого-нибудь агитировать. И на комедию попросила – трагедий в жизни хватает.

Погода – красота. Тепло, светло, вышла в нарядной толпе из театра Сатиры, домой не хочется. Здесь места ее детства, школа, Дом пионеров, куда в танцевальный кружок ходила. Теперь тут все не так, домов понастроили модных, обязательно с башенками. А их, с коммуналками, снесли, наверное. Пойти глянуть, что ли? Куда спешить...

Белка

У других как: опаздывают на электричку, забывают купить хлеб, швыряют деньги на всякую чушь в подземном переходе, едят купленный на лотке немытый виноград, наступают на ногу соседу в троллейбусе и перебегают улицу на красный свет...

То ли и впрямь помнила, то ли из маминых-бабушкиных рассказов – кафельная печка в углу комнаты и остатки дровяного сарая во дворе. «На дворе трава, на траве дрова», она могла перетараторить всех – хоть десять, хоть тридцать раз подряд, язык, как говорят, без костей. А на торце дома мозаика: белка, та самая, которая песенки поет да орешки все грызет. Кому это влезла в голову причуда так украсить свое жилище? Почему-то хозяином представлялся эдакий картинный купец – невысокий, широкоплечий, с подобающим гильдии брюшком и окладистой бородой. От дома с белочкой навсегда осталось ей имя Изабелла, ужасное в сочетании с отчеством. Но все чудесным образом совпало: расселили их коммуналку, во дворе нового дома в Черемушках оказалась французская спецшкола, оттуда отличнице прямой путь на факультет иностранных языков, а во французской фирме, куда удалось устроиться еще на пятом курсе, лучше имени не придумать – Изабель, а папу зовут Базиль, и никакого намека на мещанское Изабелла Васильевна.

Надо задернуть шторы. Летом солнце – это нормально, а зимой, когда кругом снег, – самое страшное, что она в жизни видела. Собственно говоря, последнее, что она видела...

У соседей пробило два. Все-таки представление о времени дают только электронные часы – без стрелок, с прыгающими цифрами, где одна секунда зримо сменяет другую, хотя самые правильные часы в мире – песочные, потому что на них видно, как время *течет*, как утекает жизнь.

Телефон звонит. Дядя Саша, мамин брат, с ежедневным малозначимым разговором. Несколько лет назад он наконец «освоил» давным-давно «нарезанный» ему на работе садовый участок (только в этих терминах и изъяснялся). Он безумно гордился тем, что в маленьком домике была для них с мамой комнатка с отдельным выходом на крылечко – чтобы ему польстить, они говорили «терраса». Прошлым летом они провели там мамин отпуск. С погодой повезло, вид с крылечка-терраски красивый, а главное – перемена монотонной жизни.

Отвозил на дачу, разумеется, Славик. Где-то раздобыл даже не машину – роскошный микроавтобус с раздвижными дверями, чуть ли не «мерседес». Ехали вечером – назавтра к началу рабочего дня автобус должен был стоять у офиса. Славик немного нервничал – не потому, что раньше не водил таких машин – ему, как он говорил, «все железное» было родным и понятным, а потому, что не было у него какого-то документа, путевого листа, что ли. Она всех торопила со сборами и последние два часа неотрывно смотрела в окно, когда же машина подъедет. Славик спросил, не хочет ли она сначала по центру прокатиться – еще бы! Смеркалось, огни зажглись. Магазины, магазины... Она, бывало, когда настроение плохое, отправлялась побродить без намерения что-нибудь купить, порой и без денег, так, потолкаться среди чужих людей, посмотреть на лица, по большей части помятые и усталые, и устыдиться своей хандры. Или свернуть в продовольственный, купить что-нибудь вкусненькое, сунуть в карман и грызть прямо на ходу. Как это ни смешно, в гастрономических пристрастиях она оправдывала свое имя: любым конфетам и шоколадкам предпочитала орешки и все хрустящее. В детстве воровала из высокой трехлитровой банки макароны, а оставшиеся расправляла веером, чтобы было незаметно. А сейчас иногда так хочется – бегом через дорогу в булочную, купить сушек и, крадучись, сунуть горсть в карман. Такой у нее теперь скромный запретный плод.

А вот обратная дорога три недели спустя была какая-то тусклая, все были огорчены ссорой Славика с дядей Сашей. Только и запомнила: долго перед ними ехал грузовик, доверху набитый связанными в пучки полосками поролона. От тряски и ветра он весь шевелился как живой и был похож на гигантского игрушечного ежика.

Славик тогда обнаружил недалеко от дядисашиной дачи замечательное место для кемпинга, загорелся идеей, не удержался, высказал вслух, а дядя Саша просто зашелся от ярости: испоганить хочешь тихое место, экологически чистый оазис, только попробуй... Вышел целый скандал. Славик горячился, упрекал дядю Сашу в отсутствии патриотизма и с пеной у рта излагал свою заветную мечту о развитии российского туризма и недорогих курортов. Ради этой утопической идеи он пренебрег страстью к механизмам, предал «все железное» и пять лет таскался куда-то к черту на рога на Сходню в вуз со странным названием Академия туризма. Но смех смехом, а сейчас он с однокашниками основал турфирму, занимающуюся исключительно Средней Россией, и не то чтобы процветает, но и не бедствует, машину купил, новые горные лыжи, будь они прокляты, шубу из нутрии маме – приходила хвастаться.

Когда-то она звала ее тетей Надей, потом лет в пятнадцать стала стесняться и плавно перешла на «Надежда Михайловна». И хорошо. Она теперь редко заходит, так, приличия ради, по старой памяти каких-нибудь своих фирменных плюшек на тарелке горкой принесет и все щебечет-щебечет, а глаза испуганные. А когда они со Славиком учились в школе, жили почти семьей, хоть и на разных этажах: две мамы-одиночки и дети одноклассники. Но Надежда Михайловна – мать-тигрица и опасность для сына чует кожей, всеми порами.

Славик был привычен, как обиходный предмет, как выключатель, который рука безошибочно находит в темноте. Замуж за Славика – *всегда успею*. Славик не в счет.

Олька заходила недавно: «Как ты хорошо выглядишь!» Да, как муха в янтаре – защищена от вредных воздействий окружающей среды. Олька крем купила. Дорогущий, продавщица, говорит, прямо-таки загипнотизировала – «это именно для вашего типа кожи», а там аннотация по-французски. Попросила перевести. Начала: «крем для шеи и зоны декольте». Вот оно, слово, которое для себя искала, – «зона».

Бедные ее подружки... Танька пришла: «Еле добрела, туфли новые итальянские жмут». И осеклась. У Надьки любовь, похоже, бандит с бритым затылком, но романтик – цветы корзинами с посыльным из магазина. «Да ладно, это все ерунда», – сворачивает рассказ скороговоркой, будто проболталась невзначай.

Жаль их, не знают, о чем говорить. Попробовала представить себя слепой, завязала глаза. Нет, раз можно в любой момент снять повязку, – не поймешь. А вслух никто не жалеет, только хвалят: «У тебя, Белка, такая сила воли!» А в чем она? Красить ресницы, даже если точно знаешь, что никто не придет? Сидеть на диете, чтобы, не дай бог, не поправиться? Утром гимнастикой по часу себя мучить?

Зато с некоторыми легко. Ирка ее вязать научила («Белка, у тебя талант!»). Раньше только и умела: крючком столбики с накидом, а теперь всем навязала тапочек, шалей, а какая скатерть! Недавно приходили французы из ее фирмы – как всегда с подарками, на сей раз предновогодними, мадам с этой скатерти глаз не сводила, а потом: «Изабель, не обижайтесь, мол, можно ли на заказ, конечно, за деньги – это так стильно».

Угол белого здания и маленький кусочек школьного двора были видны из окна, и она любила смотреть, как опрометью несется оттуда к ее подъезду очередной «способный, но ленивый». И хотя для пресловутой «твердой тройки», которая была пределом мечтаний большинства ее подопечных, тонкости галльского наречия были совершенно ни к чему, она подошла к делу серьезно, и когда мама заговорила о каком-то чудо-враче, о больнице, подумала: «А как же ученики», – и страшно удивилась: быстро она, оказывается, срослась с новой реальностью. Ученики приносили в дом смешные словечки, шум школьных перемен, байки про их общих учителей. И деньги. Хватало на массаж и медсестру Валю – их с мамой счастье: умеет абсолютно всё.

Валя приходит по субботам, а вслед за ней – папа. Когда-то она просто обожала лежать в ванне и пускать мыльные пузыри. Уже и вода успевала остыть, а радужная магия бесплодного развлечения завораживала. Теперь, увы, не до мыльных пузырей. Вымытые волосы легкие, пушистые – длинные отросли, Валя подровняла. Мама готовит что-нибудь вкусненькое, а папа привозит сладкое к чаю, она даже позволяет себе кусочек торта.

Папа ушел к другой женщине, когда она была еще маленькая. То, что у мамы личная жизнь не сложилась, ее до определенного момента не волновало – детский эгоизм, а потом стало казаться естественным – все-таки возраст... Смешно, мама ее родила в двадцать два года, ей и сейчас-то всего сорок пять, хотя в теперешних обстоятельствах на «ягодку опять» мама не очень похожа. Папа тоже поседел и еще больше похудел. Бедный папа! Мучился над переделкой бездарной чужой диссертации, чтобы приработать и сделать ей к защите диплома царский подарок, вот тебе – поезжай в Париж! С работы удалось вырваться только ранней весной. И все случай: у Славика в это время наконец-то появилась девушка, и они практически не виделись, и надо же – столкнулись у подъезда. Как дела, то да се. Да вот папа денег дал, скоро в Париж поеду. А он: что тебе Париж, ты с французами работаешь, сто раз в командировку съездишь, еще надоест он тебе. Зато какой сейчас снег в горах, не то что в Крылатском... И она: папочка, ты не обидишься? В Париж *всегда успею*, лучше в Альпы, там ведь тоже говорят по-французски, там и горы, и снег, и солнце! А я возьму лыжи, надену яркий-яркий комбинезон...

Да вот же она – счастье во всем облике, в позе, в повороте головы. Молодая пара, с которой познакомились в отеле, вместе с «сожалениями и пожеланиями» прислала несколько фотографий. Попросила маму купить рамочку для этой, самой лучшей, сделанной чуть ли не перед последним спуском, чтобы на стенку повесить. Но у мамы случилась форменная истерика, чуть не порвала фотографию, кричала: «Мало тебе, хочешь еще больше себя растравлять!» Но она настояла, и вот смеется, опираясь на скрещенные палки, и елка равнобедренным треугольником за спиной зеленеет, кое-где присыпанная снежком, и все ненатурально, стерильно прекрасно, как бывает только на глянцевых цветных фотографиях.

Славик не любит приходить при всех. Ему хорошо с ней вдвоем, хотя она через раз срывается, плачет, язвит, а то и прямым текстом: ищи, Славик, себе жену. А он упрям, *как* осел, напорист, *как* носорог, и терпелив, *как* вол, – все с него, *как* с гуся вода. Она эту тираду выдала, а он только хохотал: надо же, во мне одном – целый зоопарк. Девушку свою он сразу бросил, говорит, без сожаления – зигзаг, ошибка молодости. И на все отвечает стандартной фразочкой: не гони меня, от судьбы не уйдешь. Непонятно, как он может быть деловым человеком – такой романтик! Вот недавно ездил в Орловскую область, байдарочный учебный центр хочет там открыть. Почему, спрашивается, именно там? А он: больно название у реки необычное, нелепое, но красивое – Быстрая Сосна. Как раз в его отсутствие и сорвалась она так, что до сих пор стыдно. Зашла Надежда Михайловна, а тут телефон, маму отвлекли долгим разговором, и пришлось им остаться вдвоем. Обе давно избегали этого. Возникла неловкость, и лишь для того, чтобы не молчать, Надежда Михайловна спросила, звонил ли Славик из Орла. И тут ее понесло. Терзая попавшую под руку газету и ненавидяще глядя прямо в глаза оторопевшей соседке, она зашипела, только что не скрипя зубами: «Пропал, думаете, Славик, приворожила, мол, такая-сякая. Да сто лет не нужен он мне! Зачем? Рядом сидеть? Да?» Она выкрикивала бог весть что, уже давно прибежала мама, пятясь назад и что-то бормоча уползла к себе Надежда Михайловна, а она все кричала, била кулаком по столу, так что назавтра рука посинела и распухла, потом плакала, выла, а потом позвонила и извинялась.

А Надежда Михайловна тогда принесла мандарины. Хоть они теперь есть круглый год, но марокканские, как бы ненастоящие. А вот «наши», «советские» – из Абхазии – только в декабре. Так было всегда, поэтому мандарины – это елка. Новый год. А Новый год, известное дело, как встретишь, так и проведешь, и хотя это сто тысяч раз жизнью опровергнуто, каждый раз свербит... Тут еще как назло интернет выключился. Но нет, нет худа без добра – стала слушать радио и, перебегая с волны на волну, открывать совершенно неизведанный мир. И вдруг, как в детстве, концерт по заявкам: «Поставьте, пожалуйста, песню "Течет река Волга" в исполнении Людмилы Зыкиной для моей снохи Александры, у нее сегодня день рождения. Я ее поздравляю и желаю испить до дна отмеренное ей счастье». Долго, наверное, сочиняла, зато вышло красиво – «испить до дна». А где дно у ее чаши, чаши терпения?..

Вот она глотает веселенькие разноцветные таблеточки. Как шарик детской мозаики, который однажды лет в шесть зачем-то запихнула глубоко в нос. Потом, конечно, испугалась, уже одевались ехать в больницу, но она сильно высморкалась, зажав вторую ноздрю, и синяя бусинка выпрыгнула на пол. Ну и ругала же ее мама! Так вот эту разноцветную мозаику таблеток она по часам строго по схеме глотает. Сказали бы, и в нос запихивала, если надо. Научилась же сама себе в ногу уколы делать. Она верит.

Каждое утро, не открывая глаз и не шелохнувшись, она старается вообразить, что вот сейчас – что может быть проще – спустит ноги с кровати, встанет, потянется и пройдет в ванную. Надо только *почувствовать* пальцы ног.

Верит она и в то, что Бог, пославший ей такое испытание, не оставит ее. Разве может Господь не увидеть, с каким смирением и мужеством переносит она свое несчастье. Но тут же и осаживала себя: какое смирение, тут, скорее, гордыня, да ты просто любуешься собой, ты себе такой нравишься.

Быть может, это и не испытание вовсе, а наоборот. В конце концов, ее мера ответственности куда меньше, чем у других. Как в монастыре, где жизнь, при всей строгости уклада, в каком-то смысле легче обычной человеческой жизни с ее бесконечными ничего, в сущности, не стоящими, но такими изматывающими каждодневными страданиями. И по какой шкале тут пытаться соразмерять? Когда мама постирала ее любимую собачку Джерри, а та развалилась на части, потому что держалась на клею, не больше ли она страдала, чем когда Вовка Петелин пригласил на вальс на выпускном вечере не ее, а Машу, или когда на пляже украли сумку с драгоценным для нее фотоаппаратом, и так далее без конца?

Все последние темные декабрьские дни, когда лампа зажигалась с утра и гасилась перед сном, когда ждали снега, чтобы хоть немного прикрыть унылость межсезонья, никак не желающего разрешиться зимой, она судорожно искала якорь, чувствуя, что еще чуть-чуть, и лопнет, лопнет страховочный трос. Она просилась в больницу: там легче, там можно укутаться, как в кокон, в чужую боль, раствориться, стать частью общей беды. Но мама резонно говорила, что нечего там делать в Новый год и рождественскую неделю, и она, понимая мамину правоту, еле сдерживала раздражение, а порой и выплескивала по пустякам.

Потому и хваталась за все в надежде отвлечься. «Словарь ветров» пришелся кстати. Ей вдруг ужасно захотелось познакомиться с человеком со странной фамилией Прах, наверняка чудаком, который вздумал собрать под этой обложечкой названия всех ветров. Экзотические, тропические колебания воздуха были ей безразличны, как вся география, зато волновали ветры тех мест, где она бывала, не подозревая об их существовании... И вот наткнулась : «*Женатый ветер — ветер, дующий на озере Селигер и стихающий на ночь*».

У них со Славиком Селигер был именем не собственным, но нарицательным. Он не раз возил ее туда «исследовать турпродукт». Ей казалось ужасным, что можно помышлять о «дальнейшем развитии» и без того уже перенаселенного берега, и они беспрестанно ругались. «Это будет не рай земной, а Селигер какой-то», – так говорила она уже о других местах, игнорируя его рассуждения о качестве жизни и европейском опыте. Но сейчас ей так остро вспомнилось, нет, представилось, как шуршит трава при каждом шаге, как больно вдруг ступить босой ногой на камень, как обжигают тело первые брызги воды.

...По телевизору в новостях опять показывали какие-то боевые действия, рвались снаряды, но она задремала, сквозь сон мешались контратака, контрактура коленного сустава, контрапункт любимых шопеновских вальсов. И вдруг ветер налетел холодком на вспотевшее от усилий лицо, и ноги, ноги упираются при каждом гребке, и она *чувствует*, как скользят пятки по чуть протекающему мокроватому днищу лодки. И вот-вот вздуются на изнеженных ладонях мозоли от весел, тонкая пленочка, под которой, если слегка нажать, перекатывается капля, завораживающая, как дрожащий на кончике соломинки мыльный пузырь. Но надо плыть, пока не стемнело, пока дует этот единственный в мире ветер, надо доплыть до чернеющего елями мыса. Она изо всех сил сжала колеса своего инвалидного кресла. Надо доплыть. А помазать ладони мазью и заклеить мозоли пластырем *всегда успею.*

Литературно-художественное издание

Холмогорова Елена Сергеевна

ЧТЕНИЕ С ЛИСТА

Роман-партитура

16+

Главный редактор *Елена Шубина*
Редактор *Алла Шлыкова*
Корректоры *Анастасия Салун, Юлия Иванова*
Компьютерная верстка *Елены Илюшиной*

Подписано в печать 25.07.2017. Формат 84x108/32.
Печать офсетная. Усл. печ. л. 11,76.
Тираж 1500 экз. Заказ 6810

Отпечатано с готовых файлов заказчика
в АО «Первая Образцовая типография»,
филиал «УЛЬЯНОВСКИЙ ДОМ ПЕЧАТИ»
432980, г. Ульяновск, ул. Гончарова, 14

ООО «Издательство АСТ»
129085 г. Москва, Звёздный бульвар, д. 21, строение 1, комната 39
Наш электронный адрес: www.ast.ru
E-mail: astpub@aha.ru

«Баспа Аста» деген ООО
129085 г. Мәскеу, жұлдызды гүлзар, д. 21, 1 құрылым, 39 бөлме
Біздің электрондық мекенжайымыз: www.ast.ru
E - mail: astpub@aha.ru

Қазақстан Республикасында дистрибьютор және өнім бойынша
арыз-талаптарды қабылдаушының өкілі «РДЦ-Алматы» ЖШС, Алматы қ.,
Домбровский көш., 3«а», литер Б, офис 1.
Тел.: 8(727) 2 51 59 89,90,91,92, факс: 8 (727) 251 58 12 вн. 107;
E-mail: RDC-Almaty@eksmo.kz
Өнімнің жарамдылық мерзімі шектелмеген.